現代教育の条件

その再生をねがって

小林直樹 著

有斐閣選書

目次

第二部　日本における国家と教育

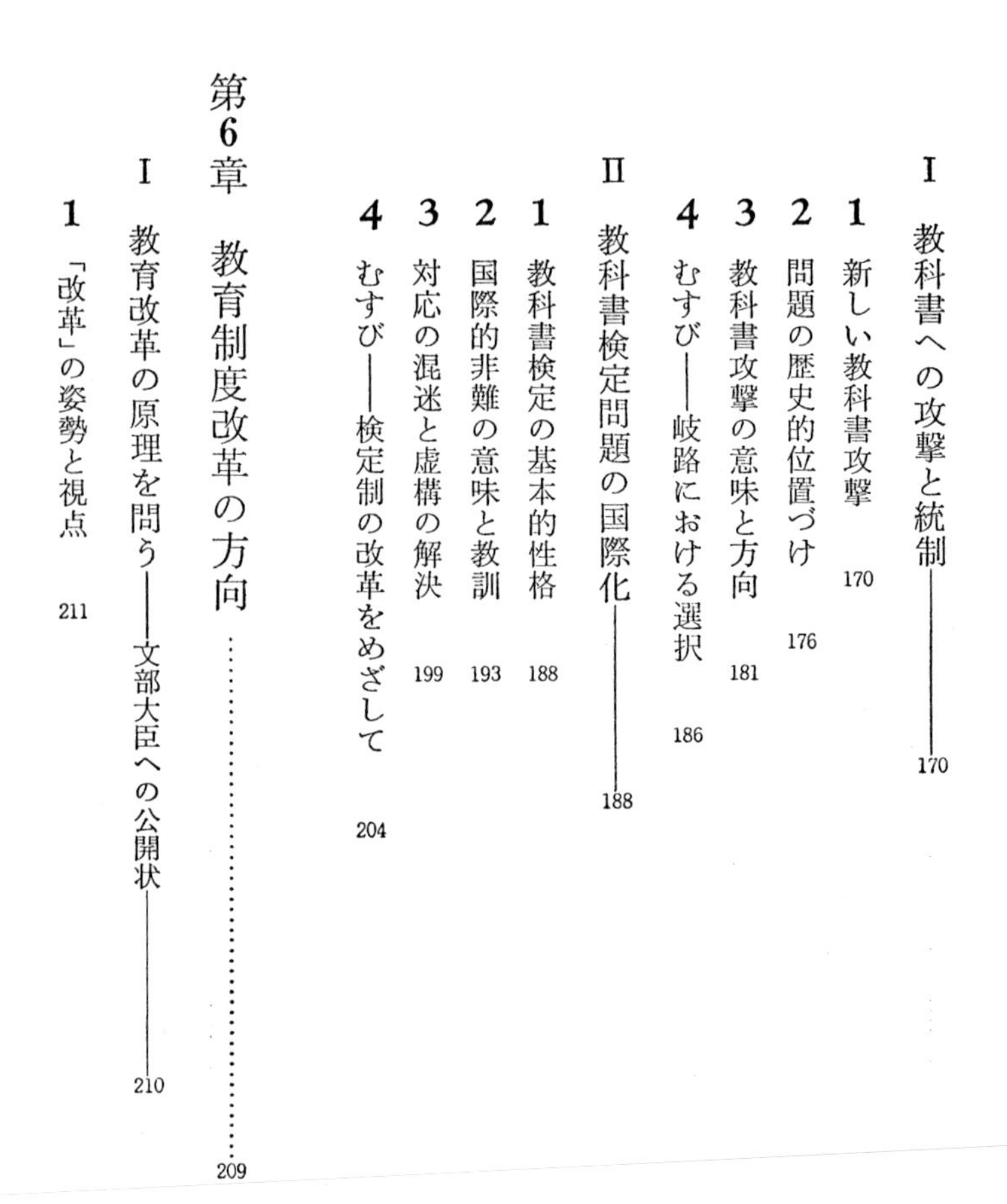

写真提供・手塚茂男

序——小さな概説

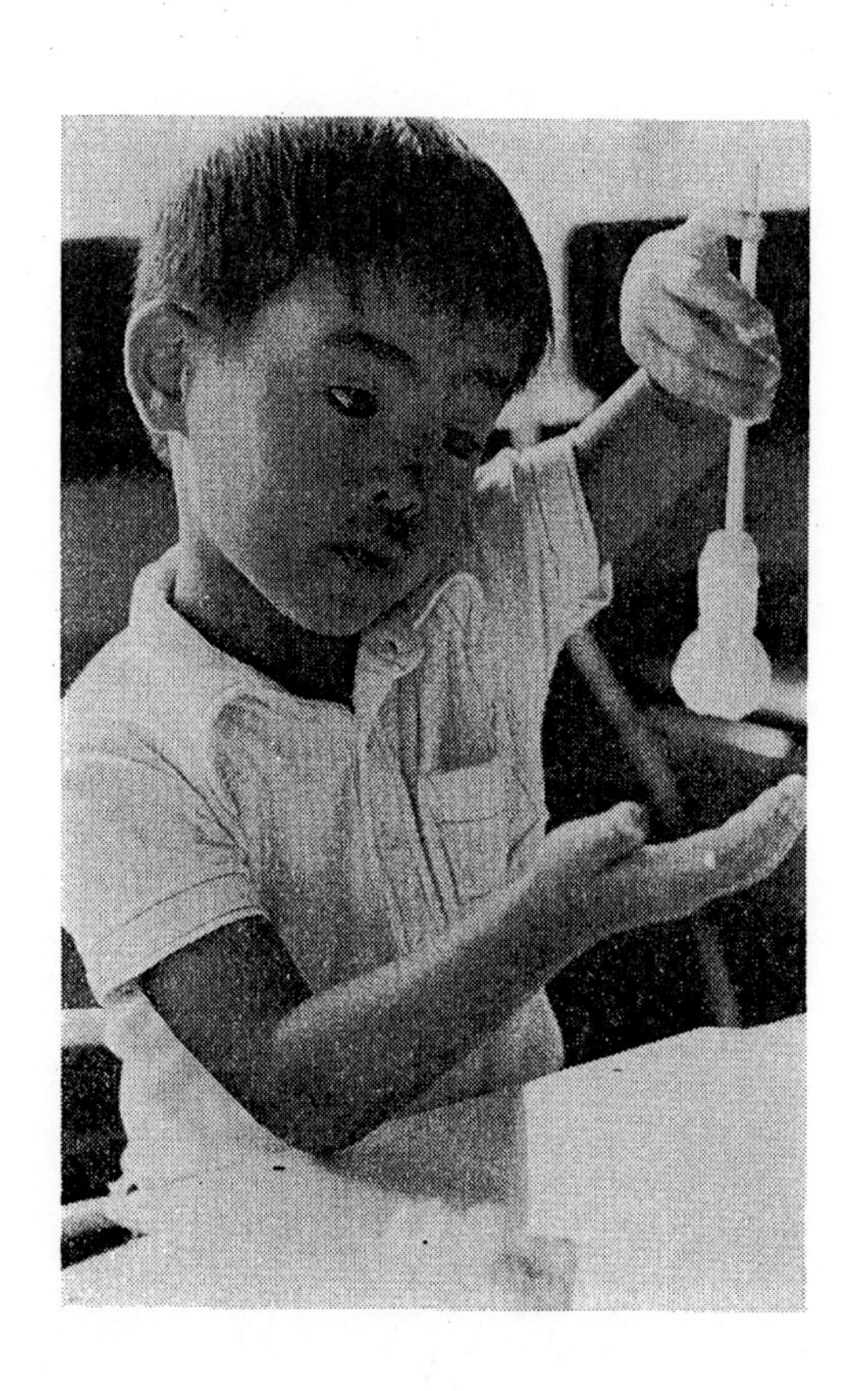

教育はいま、どうなっているか

今日ほど「教育」が悩み深い問題を抱え、子も親も教師も「教育」に苦しんでいる時代は、これまでにあったろうか。親も教師も「教育」に熱心でありながら、こんなにも「教育」に裏切られているという状態は、いったいどう考えたらいいだろうか。そもそも、多くの国民や文教関係者たちが「教育」だと思っているものが、本当に教育になっているのだろうか。――学校暴力が日常茶飯事になり、子どもの自殺や傷害や非行が小中学生にまで広がるという事態の中で、教育の再建を求める声は、至るところに湧き起こっている。それも当然である。私たちの身辺にみられる、大小さまざまな事件は、すべての父母や教師に、〝教育はこれでいいのか〟と喚びかけているではないか。

●〝荒れる学校〟は、そのままに教育の荒廃を眼にみせている。破れた窓や壊された机は、生徒たちの心の荒み(すさみ)を示しているといっていい。教師をなぐる生徒らは、先生の〝権威〟を否定するとともに、学ぶことにも絶望しているのである。学習が楽しくて、みんなが活き活きしているクラスに、破壊や暴行は生ずるはずがないだろう。

●子どもたちの自殺やリンチなどはもちろん、喫煙・万引・ずる休みなどの非行の前駆症も、家庭と学校での「教育」の失敗を示す徴候である。横浜で起きた中学生の浮浪者襲撃の事件などは、人間のいのちの尊さや生きることの大切さを学ばせる人間教育が欠けていた、ということの証拠である。いま、多くの児童たちは、物質的〝豊かさ〟の中で心を育てる栄養も訓練もなく、精神の失調症におちこんでいるとしか思えない。

●教師たちの悩みは深い。真剣に教育にとり組んでいる教師ほど、辛い思いをしているだろう。生徒に襲いかかられた先生が、果物ナイフで生徒を刺した、という町田市の中学校の事件も、ショッキングだが、十分にありうることである。それにしても、そのような異常な事態をかもしだす下地に、落ちこぼされて心を荒ませた生徒たちを輩出させた条件があり、教師たちにもそれに責任がないとはいえないであろう。

●家庭でも、さまざまな暴力事件が起きている。とくに受験体制の重圧に耐えかねて、すねたり、ぐれたり、荒れ狂ったりする子どもがふえている。体験的な手記の『積木くずし』が、ミリオン・セラーとして読まれたということも、同じ悩みをもつ親たちがいかに多いかを示しているといえるだろう。眼を背けるような近親殺をふくめて、家庭内暴力の増加もまた、今日の「教育」がどこかで狂っていることを示す警鐘となっている。

●暴行をしない「良い子」たちにも、今の「教育」の歪みが、暗い影を落している。多くの青年たちは、眼の輝きを失い、無気力・無感動・無関心に陥り、困難ととり組む意欲を持たない。論理的な思考能力や自主的判断力に乏しく、自己中心の利害に即して短絡的な行動に走りやすくなっている。こういう青少年たちは、明日の日本をどのように担っていけるだろうか。

数えあげればキリがないが、こうした事態は、いったいどこから生じたのか。社会に広がるこのような〝病理〟現象は、どうしたら根本的に〝治療〟できるだろうか。生き生きとした明るい人間教育をとり戻すために、私たちは何をしなければならないか。――これは、教育に関心あるすべての人びとの共通の問題である。

現代における教育のむずかしさ

うえのような教育の現状を見るにつけて、今日の教育の当面する困難が、しみじみ痛感される。もともと教育というものは、親・教師はもちろん、どんな社会にとっても、やさしい仕事ではない。とりわけ教える側には、〝完璧な教育〟は達しえない理念にとどまるだけに、いつの時代にもむずかしさがつきまとうであろう。しかし、現代の社会はそれに加えて、教育をスポイルする多くの諸条件をつぎつぎに生み出しているのである。われわれの身辺をちょっと見わたしただけでも、よい教育を妨げたり壊したりする条件は、至るところに見出される。

●何よりも、人間関係や情報の流れが複雑になった今日では、親にも教師にもコントロールできない〝外〟からの情報や影響が、じつに大きくなっている。早い話、テレビのスイッチをひねれば、殺人や暴行やセックスなどのシーンが、幼弱な子どもたちの眼の中にいきなり飛び込んでくる。エロ・グロのあやしげな雑誌も、タバコも、自動販売機で小中学生でも簡単に手に入る。都会では遊び場も多いし、どぎつい刺激がひときわ大きい。学校外の暴力組織が、中高校生の非行グループと連繋して、外からの組織化を働きかけてくることもある。覚醒剤や麻薬、売春などへの誘惑の手が、中学生にまで及んで、彼らの運命を狂わせてしまう場合さえある。

●こうした状態は、工業化と都市化が進めば進むほど、広汎かつ深刻なものとなるだろう。そして、未発達な青少年や児童を包むこのような情報＝および人間関係は、さらに生活環境そのものの汚染や破壊によって、いっそう悪化することになる。とくにわが国の大中都市は、無計画な土地＝住宅＝道路政策のために、森林も河川も台なしにし、子どもたちから彼らの成長に必要な緑や遊び場を奪い、そのかわりに汚い空気や騒音や狭い住居や、〃おとな〃向けのいかがわしい享楽場などを押しつけてきた。そのうえまた、多くのおとな（とくに男性）たちは、企業社会の枠にはめられ、主として経済的〃安定〃や地位の上昇のために身心をすりへらし、子どもの教育を肌身でおこなう責任を放棄してしまった。こんな環境の中で、健やかな身心を持った子どもたちが、どうして育てられるだろうか。

これらの諸条件は、学校の教師たちが（前半の部分については親たちも）直接には手のほどこしようのない事柄である。子どもたちを社会から切り離して、学校だけで教育できる状態でない以上、教育を駄目にする校外の条件の影響をとり除くことはできない。今日の教育が、むかしよりもずっとむずかしくなっているゆえんである。

しかし、だからといって、教師や親たちの責任が解除されるわけではない。右のような社会を作り出している人びとは、すべて新旧の学校で「教育」されてきた元生徒・元学生たちである。それに教師や親たちも、それぞれの地域社会の一員である。それに何よりも、社会の改善には、すぐれた洞察力と困難に屈しない意志や体力をもった、次代の国民を必要とする。〃社会が悪いから、どうしようもない〃という逃げ言葉は、少なくとも教育にかかわる人びとには許されない。それぞれの持ち場で、教師や父母たちが、みずからの教育に全力で当ると同時に、一見手の及ばない〃社会〃環境の改善にも、なしうるかぎりの努力をすることが、教育改革にとって不可欠の条件となるはずである。そういう視野に立った努力のつみ重ねがなければ、各現場での善意の教師たちの教育も、終りなき〃積木くずし〃になってしまうだろう。

ところで、教育の本場である学校は、どうなっているのか。

●周知のとおり、いま日本の大部分の学校は、よりよい上級校をめざして受験テストの訓練をおこなう、手段としての練習場になっている観がある。学校系列の一番上にある大学も、「学術の蘊奥」をきわめるアカデミーではなく、就職や国家試験のための一階程に化しつつある。そういうところで第一の目標とされるのはテストの成績だけで、生徒たちは本当の学問の楽しさも厳しさも学べず、友情を育てたり自治活動をする余裕さえなくなっている。これではどの学校も、真剣な学習や明るい友人関係を通じ、皆が個性的な人間として発達していく教育の場でなく、およそつまらない〝予備校〟になってしまうだろう。

●もっと悪いことに、いまの日本の教育界は、本来は教育成果の一測定手段にすぎないテスト――ひいてはそれを売りものにする受験産業――に振りまわされ、創造性のない受験用の「知育」に偏し、人間教育を置きざりにしてきたままである。その結果として、偏差値で生徒にランクをつけ、早くも小学校の頃から彼らを〝出来る子〟〝出来ない子〟に振り分け、テスト教育についていけない子どもを〝落ちこぼれ〟させるという、おそろしい反教育的なやり方を広くおこなってきた。機械的な暗記を主にするテストに不得手な生徒たちが、そうした選別で人間的な評価までされ、〝ダメな子〟とされる場合、彼らが学校教育に反発し、ぐれたり暴力を振ったりするのも、むしろ当然というべきではないか。

●問題は、〝落ちこぼれ〟て非行に走る子どもだけではなく、一般に学校が、大多数の生徒たちにとって、生き生きとした「学び舎(や)」になっていないことにある。テスト体制のために、友だちと遊び語り楽しむ時間がなくなっているうえに、受験本位の授業そのものがつまらなくなっており、とくに〝遅れた〟子どもたちは、分からないまま放置される、という傾向が前から一般化してきた。自然や社会の現象を観察して、新鮮な驚きを感じたり、自分で疑問を深めたり、美醜・善悪の価値判断を養ったりする、人間にとって必要な本当の学習が、こうした現状の中でいったいどれだけおこなわれているだろうか。

●右のようなテスト体制のうえに重ねて、学校をいっそうダメにし、つまらなくしている要因に、国家による教育の管理がある。文部省の学習指導や教科書検定は、ほんらい教育者の自律や創造的作業に委ねられるべき事柄についても、多くの干渉をおこなっている。このために、教科書の内容に政治的なコントロールが加えられるほか、ユニークで創造的な教育ができなくなってしまった。教職員に対する管理は、彼らの自主的な教育活動の幅をいちじるしく狭め、生徒をも含めて学校の自治活動を不活発なものとしている。先生たちに管理のかせをはめ、学校から活発な気風を奪い去って、どうして明るく楽しい学校生活を築くことができようか。今日の教育行政は、テスト体制とともに、日本の教育をダメにしている、最大の元凶というべきではないか。

ともあれ、こうした学校の状況の中で、まじめに教育ととり組もうとする教師たちほど、苦悩は大きくなっている。〝番長〟や〝スケバン〟に率いられる非行グループにこづきまわされ、〝先公〟と罵られながら、日々の教壇に立たなければならない教師たちは、どんなに辛いことだろう。〝つっぱり〟生徒だけでなく、無気力な登校拒否の児童、自分のことしか考えないこましゃくれた〝秀才〟少年など、それぞれが〝問題児〟であるような今日の生徒たちを配慮する苦労は、たいへんなものである。しかし、今日のような教育の荒廃と学校および教師に対する不信が拡まった理由の一部が、学校と教師の側にあったことは、否定できないであろう。とりわけ偏差値による子どもの選別と差別は、多くの教師たちが共同に責任を負うべき典型例である。落ちこぼされた子どもたちの反撃や非行化に、心の痛みを感ずるだけでなく、彼らを生みだした今日の学校の在り方そのものを変えていくことは、その現場にあって働いている教職員たちが、協同して担っていかなければならない課題であろう。学校教育の建直しの第一条件は、この課題の実行にある。

教育における社会・家庭・親の責任

◉教育の達成は、むろん学校だけでおこなわれるものではない。「生涯教育」という言葉が示すように、人間の教育は生きるかぎり続くべきものであるし、社会のどの場所でも、教育のチャンスはある。現に官庁や企業の組合その他さまざまな組織は、それなりの〝教育〟をおこなっているし、また、どんな組織にも属さない人びとにも、何らかの教育の場が多様に開かれている。それらとは別に、もっと漠然とした社会一般も、次代の社会の担い手たる青少年や児童たちの教育に、つよい関心を払わなければなるまい。

いまのように、青少年の非行や退廃が広まったのには、先に一瞥(いちべつ)したとおり、〝社会〟に帰せられるべき理由が少なくない。社会一般に、ひとのことをかえりみないエゴイズムがはびこり、富や享楽だけが人びとの主要目的であるかのような風潮が広がっている中で、ひとり学校だけが〝汚れ〟のない別天地でありうるわけがない。非行への誘いにかぎらず、いま学校を包んでいるテスト体制も、もとはといえば、社会に広がる学歴偏重の考え方、さらには世俗的な栄達願望に根ざすものである。この根底からの発想の転換なしに、真の教育改革は出来ないだろう。教育をとり戻すには、社会の〝通念〟の変革が必要である。

◉社会の中でも、人間教育について、学校に劣らず大切なのは、人がそこで育つ家庭である。温かく明るい家庭で、いき届いた配慮の下で育てられた子どもは、よほど特別のことがないかぎり、非行に走ることなどないといっていい。今日、経済的にめぐまれた家庭の中から、思いもかけない非情な犯行をおかす青少年が出る例があるのは、家庭の教育に何らかの欠陥が生じていることを示す徴候といっていいかもしれない。

じっさいに今の家庭は、古い家族制度がなくなったことや、とくに産業構造の変化と相まって個人主義的な核家族化したことなどによって、その中の人間関係が戦前とはいちじるしく変わってきている。子女の教育にとってマイナス面といえば、多忙な企業社会の慣わしで、日常生活の中で父親が不在同然となり、よい意味での父権が消失したことなどがあげられる。その分だけ、子どもを経済的に甘やかしたり、〝教育ママ〟が受験戦線に駆りたてたりして、子どもの発達にゆがみが生ずる例が多いとみられる。少なくとも「しつけ」の点で、家庭でおこなわれるべきミニマムの社会訓練や、人への思いやりを育てる教育が、家庭でなされていないことは、今日の教育の荒廃の重要な一因といってよい。各方面から家庭の教育機能の〝復活〟が叫ばれているのも、当然である。

◉家庭教育の担い手は、もちろん親である。ふつう子どもが最初に出あう人生の教師は、父母であり、その運命的な出会いは、子どもにとって決定的な意味をもつだろう。したがって、いま家庭教育に欠陥があるとすれば、その根本の責任は親にあるといわなければならない。親たる役割を果たしえない父母、あるいは間違いだらけの教育観で子どもの発達をゆがめている親たちは、まさに〝親業〟や教育の意味を学びかえす必要があろう。非行の子らを正道に戻すために、たとえば長野県旭ヶ丘高校の若林校長をはじめとする先生たちのように、必死の格闘を続けている教師がかなりいても、親たちが子育てを放棄したり、人間的しつけを欠いた子をつぎつぎに学校に送り込む状態では、いつまでたっても改善は進まないだろう。近頃ではようやく、学校教育でも親の協力の必要が本格的に自覚されるようになってきているようだが、その協業は、親になる前から準備され、子どもが卒業してからも続けられるべき、社会的義務だといってよい。

教育における地域社会と国家の役割

◉家庭と学校、親と教師についで、コミュニティ（地域社会）とそこで生活する人びとの、教育への協業が、いま問題となりつつある。社会の近代化や都市化とともに、よかれあしかれ、古いコミュニティは崩壊し、地域における人間関係は稀薄になり、他人の子に対する関心も配慮もひどく失われてしまった。昔の町内会や隣組などのそのままの復活は困るが、新しいコミュニティの建設とそのための住民の参加には、地域での教育も大きな課題として取りあげられるべきであろう。これまであったPTAを活性化すると同時に、その周辺にコミュニティ住民の民主的な協業の輪が作られることは、いまの教育の建直しのために、不可欠な条件である。明るい近隣関係のなかで、住民の協力によって地域から非行をなくし、必要に応じて互いに隣人の子育てに協力するというシステムができれば、学校暴力を克服するぐらいは、そう難事ではないはずである。社会の利害関係やイデオロギーが多様化している今日、そういうコミュニティの連帯をつくりあげることじたいがむずかしい問題であるが、教育や環境などの面で新しいコミュニティづくりは、いまや必須の課題となっている。

◉国（政府）もまた、次代の国民の育成に当然に関心をもち、みずからの役割にふさわしい分担をすべきである。義務教育はもちろん、大学から社会教育まで含めて、国がなすべき・またなしうる仕事はたくさんある。一言でいえばそれは、多種多様な教育の条件を整備し、全国にわたって平等な学校教育、社会教育がいきわたるように配慮することである。

その反面で、教育の内容や具体的実施については、国が管理＝統制をおこなうべきではなく、原則として専門の教師や親たちの自律に委ねられなければならない。先にもふれたとおり、この点でわが国の文部行政は、教科書をはじめ、教師に対する干渉がつよすぎ、ひいては教育の不当な政治的ねじ曲げを生じさせるに至っている。そうした傾向を強化し固定させるような「教科書法」制定の企ては、事態を確実に悪化させるものといわざるをえない。

教育界および教育法学界で、教育権の所在や行使の問題が長らく討議されてきたのも、右の点に関係している。教科書をめぐって、政治社会や法廷にも及ぶ争論がおこなわれ、さらには国際的な問題にまでなったことは、わが国の文部行政の政治性をよく物語っている。これについても、広汎な国民的論議がくり展（ひろ）げられ、国の行政にはその課題にふさわしい役割が割り当てられるようにならなければ、教育の混迷と悪しき管理化は、ますます深まる一方であろう。青少年や児童の学習する権利を中心に、教育制度の根本的な改善が望まれるゆえんである。

本書の意図と構成について

現代の教育は、家庭・学校・社会・国家の全体にわたり、きわめて複雑な網目を形づくっている。学校や家庭でのその病理現象も、ある部分では社会の生理や人間の本性にも根ざしており、またある部分では日本の伝統的な考え方とも絡みあい、他の部分では新しい社会関係の頽落した面と重なりあってもいる。これらをときほごして、問題の根本的な解決を得るためには、あらゆる局面での具体的な試行錯誤や失敗から学びつつ、しかし基本の路線としては、つねに民主教育の原理にたち戻って、地道な実践を重ねていく以外にはないであろう。

右のような教育の原理として、私たちはすぐれた教育基本法をもっている。教育理論はそこから、子どもの発達権＝学習権を中心に据えた制度論を確立してきた。ただ、不幸なことに、わが国の文部行政は、この民主的な教育の原理とは対蹠的に、教育に対する政治的統制を強めてきたし、また受験競争は、多くの父母・教師たちをも包んで、大量の被害者と学校の荒廃をもたらしてきた。――こうした事態における個別の問題については、たくさんの体験書や救済のノーハウを書いた本が出されている。父母たちもそれぞれの解決策を求めて、とりわけ良い先生の出現を期待しているようである。『窓ぎわのトットちゃん』が超ベストセラーになったり、テレビの「金八先生」などが好評を博したのも、教育の恢復を願う人びとの気持を反映したものといえるだろう。

本書は、しかし、そのような意味での個別の救済策やノーハウを示すものではない。情熱にあふれた現場体験の記録でもない。むしろ、一人の社会科学（特殊には憲法学・教育法学）の研究者として、今日の教育の場に生じている現象に一定の距離を置いて、いささか迂遠ともいうべきその根本的な解決の方向を考察したものである。私はここで、ある場合には憲法・教育基本法を媒介として、教育の制度改革に必要な原理と方向について考え、それに照らして現実の行政のあり方に率直な批判を試みた。他の面で私は、教育学の素人としていささか乱暴にも、文明論的な観点から現代教育の方向に関する発言をあえておこなってみた。

今日の教育の荒廃を救うには、つまるところ教師や父母たちの地道な実践が第一に必要なことは、前述したとおりである。しかし、それと同時に、そうした努力が実りあるものとなり、真の解決に到達するためには、本書で扱ったような問題の考察を通じて、民主教育の方向性を不断に確認していくことが、不可欠な前提になるのではないだろうか。

＊

本書は、二部に分けて、第一部では教育の一般条件や環境に関する論文を配し、第二部には憲法の教育原理をふまえて制度改革や教科書問題を批判的に検討した論稿を集めた。しかし、体系的に書き下したものではないから、どこから読まれても別段差支えはないとおもう。なお、核心的な問題については、いくつかの章でくりかえし強調した点が出てくるが、これは、いってみれば主旋律のようなものとして理解していただくよう、お願いしておきたい。

第一部　今日の教育の環境と条件

第1章 現代教育における競争と疎外

――「偏差値」競争による教育の破壊――

1　序言――問題の概観

教育の荒廃とそれを生みだす社会的要因

戦後教育の「危機」や「荒廃」については、かなり以前から各方面で問題にされてきた。しかし、一九八〇年代に入ってから、教育の荒廃はいちだんと深まり、また全国に拡がって、教育の危機はすでに〝世紀末〟的な様相を呈しはじめた観がある。至るところに見られるすさまじい〝暴力教室〟の状態、親と子で傷つけあう家庭内暴力の拡がり、殺人まで生じる中学生の非行化、小学生にも及ぶ自殺の増加など――とめどもない教育の荒廃を示す生々しいデータが、このところ噴出しつつある状態である。これらの現象はむろん、わが国だけの問題ではないし、それはまた学校教育だけの責任に帰せられるものではない。教育の荒廃を生み出す要因は、現代社会の中に広く拡がり、かつ相互に絡みあっているからである。そのようなものとして、少なくとも次のような諸点がすぐに思い浮べられよう。すなわち――

(1)　幼稚園から大学に及ぶ受験競争が、子どもたちの心を窒息させている。つまらないテストに追いまわされている生徒たち、とくに偏差値の尺度だけで〝落ちこぼれ〟させられた青少年たちが、〝教育〟に絶望し反逆するのは、むしろ自然だといえる。

(2)　都市の拡大にともなう自然の喪失――さらに児童からの遊びの場所の剝奪――や人間関係の砂漠化が、青少年の心身の発育をゆがめ、一般に人心の荒(すさ)びを生じていることも、周知のとおりである。

(3)　さらに、もっぱら経済的利益や物質文明の享受を追求して、〝心〟を置き忘れたような戦後日本の生活様式も、青少年非行化の地盤を作ってきたといえよう。

(4)　右の三点とも関連して、子どもを育てる家庭の場での教育が、豊かな感性やしつけを与える機能を失ってきていることも、「荒廃」の一要因となっていると思われる。

(5)　生徒たちの暴力化や性犯罪の広がりの一因として、模倣や流行をつくり出す〝映像文化〟(とくにテレビ)の影響が相当程度あることは、容易に推定できる。

(6)　より一般的な条件として、人口増から生ずる社会的緊張の圧力の増大も、無視できないであろう。人びとの自殺や破壊行為は、社会的なストレスの累積の表われであり、不幸な淘汰作用の結果だと見ることもできるかもしれない。

ゆがんだ受験競争と「能力」による「差別」

こういうように複雑な諸要因が絡みあっていることを考えれば、今日の〝教育の荒廃〟の根が単純一律でないことはすぐ分かる。それは、現代日本の社会のひずみの病理的徴候であり、その根底には上記のほかさらに歴史的に絡みあった諸原因が伏在している。したがって、一つだけの要因を強調することは、事態の正確な認識をも、また問題の正しい解決をも不可能にする。

このことを前提したうえで、しかし、あえてそれらの中からもっとも重要な要因を選びだすとすれば、大方の人びとはおそらく間違いなく、異常に過熱した受験競争を挙げるであろう。受験「戦争」とか受験「地獄」などの異名が物語る凄まじいまでの競争は、周知のとおり、乱塾、受験屋の横行、大量の落ちこぼれとその非行化などの病理を生みだす直接の原因になってきたからである。その改善を目ざして、入試制度をはじめ、種々の学制の改革が提案され、部分的には実行もされているけれども、根本的な治療は容易に望めそうもない。何よりも、受験体制そのものが、社会の多くの人びとの願望や行動の組合せから生み出されたものであり、現代日本社会の特殊な縮図でもある。したがって、ここでの病理は、いわば社会の〝生理〟から発しているとみなければならない。その根本治療が困難なゆえんは、社会の病理と生理が分かちがたく結びあっている点にあるといえよう。

右の観点から、競争原理およびそのコロラリーたる〝能力〟の問題は、現代教育のありようを考えるうえで、格別の再検討を要すると思われる。憲法二六条一項は、「すべて国民は、……その能力に応じて、ひとしく教育を受ける権利を有する」と定め、教育の機会均等を保障しているけれども、はたして人びとの「能力」が、正しく引き出され、かつ正当に評価されるようになっているのだろうか。標準的なコメンタールによれば、右の「能力」云々は、「教育を受けるに適するかどうかの能力に応じて」ということであり、〝ひとしく〟は〝差別なく〟の意である」（宮沢俊義『日本国憲法』）と解される。そして、その意味で「能力によって差別されるのは当然である……」といわれる。

問題は、しかし、入試などによって測られる「能力」が、真に人間の能力というに値するものであるのかどうか、また全人的な能力が教育の各段階で真に伸張されるようになっているかどうか、にある。ひいては、偏差値を尺度として、人間の価値まで偏頗なやり方で決めたり、学力テストだけで測られた「能力」による選別が、どうして「教育」でありえるか、問われなくてはならない。また、そうした一面的な「能力」に基づく「差別」が、「当然である」などとはとてもいえそうもないことが分かっているのに、どうして表面上の平等保障の下で諸矛盾が放置されているのか、という問題も生じるであろう。

ここでは、今日の教育の問題状況において、憲法＝教育基本法の精神にほど遠い病理的実態がくりひろげられていることを直視し、その原因が日本社会の精神構造と日本人の生活様式に根ざしている点に着目して、改革の原理を探る手がかりにしたい。

2 受験競争の袋小路

受験地獄と反教育の病理

わが国の経済発展と足並みをそろえるかのように、六〇年代から七〇年代にかけて、国民の進学熱は年ごとに高まり、凄まじいまでの進学率の上昇を示してきた。すでに七〇年代の初め頃から、学校で学ぶ児童・生徒・学生の数は、一億の人口の五分の一を越え（約二三三三万人）、教職員の数も一〇〇万人以上にのぼった。これらは、半世紀前の数字のほぼ三倍以上であり、それじたい「現代日本の巨大な社会現象」にまでなったのである。戦後、新制高校・新制大学の出発の頃、それぞれの進学率が約四七％と六％強だったのに対し、七〇年初頭には高校進学率は約九〇％、短大をふくむ大学へのそれは三二％を越えるに至った。この「進学率の上昇に見られる国民の教育要求のたかまりは本来当然であり、必然であり、そして基本的には健康である」（教育制度検討委員会『日本の教育改革を求めて』一九七四年）、と見られる。

自分の子どもに少しでも高い教育を受けさせようという親の願望は、それじたいとしては確かに自然の要求といえよう。生徒やその父母たちが、よりよい生活への向上をめざして、進学のために努力することじたいは、〃悪い〃わけがない。しかし、日本を吹きまくる進学熱とそこに生じた過当競争は、異常な事態を作り出すに至った。ここ十余年来の〃受験地獄〃とテスト体制の実況は、「反教育」としかいいようのない病理をさらけだしてきたのである。

過熱した受験競争の異常さは、今日誰の目にも明らかである。予備校をはじめとする受験企業の盛行、全国で数万にも及ぶという〃学習塾〃の乱立は、その一つのバロメーターにほかならない。〃よい大学に進みたい〃という生徒たちの欲求、そのために子女を〃よい高校・よい中学に入れなければ〃という父母たちの願望は、大小さまざまなテスト屋や塾を呼び出し、不景気など物ともしない企業にまで仕立てている。こうした受験のための特殊訓練の組織が、商売として繁昌している状態は、何とも異常というほかない。

もっと決定的なことは、学校教育全般におよぶテスト中心の受験体制の拡がりである。そういう競争に拍車をかけた中教審路線の選別方式の影響だけでなく、多くの高・中・小の諸学校とその教師たちじたいが、みずから〃よい学校〃・〃よい教師〃になるために、〃受験に強い子〃を生み出す競争にのめり込んできたからである。この競争場裡では、〃よい学校〃とは、〃よい大学〃により多くの進学者を送りこめる〃名門〃高校であり、そういう〃よい〃高校により多くの生徒を入れうる〃名門〃中学であり、〃よい中学〃により多くパスさせる小学校である。そしてとくに「共通一次」試験の制度の採択いらい、受験企業のはじき出す偏差値による振い分けに応じて、人工的な〃大学の格差〃づけがいっそう進められ、親も教師も生徒も、この作られた観念（イドラ）に振りまわされることになる。

かくして学校同士間、教師相互間にテスト競争が広くかつ激しくおこなわれ、各段階での「教育」の主眼は、受験戦争に勝つためのテスト訓練におかれるようになった。受験課目中心の点数のための戦いが、学校教育を左右するに至ったのである。

過当競争の生み出す禍害

父母・教師・生徒をあげての受験競争のこうした拡がりは、ゆたかな人間性の伸長や真理の追求をめざす教育を損わないではおかない。その〝効果〟は、目にみえる社会的な禍害のほか、おそらく目立たないところにも根ぶかく及んでいるに違いない。さしあたり、児童・生徒間にみられる現象だけとってみても、その影響はきわめて深刻である。

たとえば、小・中・高校生にふえてきた自殺や非行の多くは、受験戦争における敗北や挫折、受験地獄の圧迫、テスト競争による教育の混迷に基因するとみてよいであろう。一九七三、四年の生徒自殺記録を追った『子ども白書』（日本子どもを守る会編、一九七四年版）は、「受験地獄と冷たい学校が、自殺の温床」だとしているが、同じことはいっそう強い度合で青少年の非行化について指摘されるだろう。非情なテストによる選別は、大量の児童・生徒を、挫折から絶望に追いやり、反発力のある少年たちを反抗や非行に導く役割を果たしているからである。

そうした転落のほか、知・情・意や体力の豊かな成長などの見地からみて、受験体制がいかに教育の正常な営みを壊しているかは、現場からのたくさんの報告（たとえば村松喬編『教育の森』一九六五〜

六八年、など）をみれば歴然たるものがある。それらの主な問題を要約すれば、次のような諸点があげられる。

(1) テスト偏重の受験教育は、児童・生徒の豊かな感情の育成を妨げ、たとえば自然を愛する心のゆとりなどをも奪い、情緒の面で重大な欠陥人間を生み出しつつある。

(2) 他人を押しのけて勝つことに専念せざるをえない競争体制は、友情をはじめ温かい人間愛の芽をつみ、子どもたちのエゴイズムや冷酷な面を助長することになる。

(3) マーク・シートを主とする機械的な○×式テストを長期にわたって繰りかえすことは、人間の幅広い総合的判断の能力を減退させ、多様な人生への視野を狭め、短絡的思考法に導きやすい。

(4) 記憶力および受験技術に優位をおくテスト中心の教え方は、無感動な知識のつめこみを偏重する結果として、真理教育を破壊し、生徒たちから学問への関心や熱意を奪い去る。

(5) テストによる選別や序列化は、世間的にも生徒間にも、〝テストに弱い〟人間を見下す傾向を作り出し、不当な差別意識と被差別者の心の荒(すさ)みを生み出しやすい。

(6) 右の傾向は学校間の格差を生み、格づけはさらに競争を激化し、それによって生徒たちの疎外感を拡大再生産し、〝一流〟とされる以外の学校での正常な教育を困難にする。

(7) 幼少時からの過当競争は、児童たちから心のゆとりや温かさのみならず、体力育成の機会をも奪うことによって、青少年の体力の一般的低下を招くことになる。

先に述べた負の現象とともに、児童・生徒に及ぼすこれらの弊害は、私たちの身辺の至るところで目撃される事実となっている。こうしたたくさんの問題点を見ば、過熱した受験教育は、まさに「反教育」に化しているといっても過言ではない。

教育病理から生じる社会的損失

反教育に転化した受験教育の体制は、上述のように、児童・生徒の心身をスポイルする点で、すでに重大な弊害を生んでいる。これを国家=社会の側から見直せば、途方もない大きな社会的損失を招来するだろうことは、容易に推測できる。人間不在の受験体制から生ずる禍害は、複雑な過程を経て社会の諸部分に——時には緩慢に、時には急激に——及んでいくであろう。

その中でもあらわなのは、テスト競争から落ちこぼれた大量の青少年の挫折と退行である。現行の受験体制の下で、いわゆる〝一流〟大学のコースに進んで〝志〟を得るものは、一割にも足りない少数である以上、あとの九割何分は、広い意味での〝落ちこぼれ〟の群に入るだろう。後で詳しく見るとおり、これらのおくれた群のなかにも、多種多様なすぐれた能力の持ち主がたくさんいるはずである。しかし、非情なテストのふるいは、彼らを自他ともに〝落ちこぼれ〟とみなして、その能力を伸長させる機会を大幅に狭めている。とくに、初等・中等教育の段階から、大量の機械的なテストについていけない多数の生徒たちが、劣等者として差別され軽蔑されるために、大きな可能性をもった厖大なエネルギーが人工的に埋没させられる結果になる。

いうまでもなく、これは、社会にとって非常な損失である。志を得ない多くのものは、ヤル気を失って無気力・無関心な存在になり、もっと深い心の傷を受けたものは、〝社会〟に反発して非行に走ったり、あるいは過激集団に入ったりすることになろう。

右のような状態が、もっともあらわに見られるのは、学校の格づけによって二、三流ないしそれ以下と目される学校に生じやすい、〃暴力教室〃や生徒の非行化である。〃不出来な子〃とさげすまれ、三、四流のレッテルを貼られた学校に入れられた生徒たちが、前途への希望を失って〃ぐれる〃のも、むしろ自然の成行きであろう。テストによる商品なみの格づけで不本意にはねのけられた青少年たちが、自分を踏みつけにする〃社会〃に反抗もしくは反逆をするのは、一面では当然だからである。こうした格づけの進行は、二流以下の学校にとどまらず、〃一流〃と目される学校にも及ぶだろう。〃よい大学〃でも、自分の欲する学部に入れなかったもの、成績が悪いためにそこで落ちこぼれたり、〃よい就職〃ができなかったものは、それなりの挫折を味わされる。

こうしてみると、受験体制は社会の全面に及ぶ出世志向のシステムと不可分であり、ごく一握りの〃志〃を遂げた〃出世頭〃たちを除けば、幾層かにわたる挫折や不満の累積を作り出しているのである。この意味でそれは、大量〃落ちこぼし〃のメカニズムであり、社会的統合の効率という点だけからみても、そのロスはきわめて大きいといわなければならない。

この因果の根本的な追求が必要

現代日本の社会は、人間を歪めるこの受験体制によって、手痛いシッペ返しを受けはじめている。左の過激派や右の暴力団、あるいは青少年の非行グループなどが、皆そこから生じてきたと見るのは、むろん過度の単純思考にすぎないが、教育荒廃の状況がそれらの有力な温床を作り出していることは間違いない。各級学校で情熱をもって真理教育がおこなわれ、落ちこぼれのない人間形成がなされるならば、反社会的な非行や暴力にはしる者は、確実に減少するとみてよい。犯罪などの社会的損失（およびそれに対処するためのコスト）の相当部分は、「反教育」の現実がつきつける不可避の出費――やくざ言葉でいえばオトシマエ（!?）――なのである。こうした受験体制を惰性的に維持することに、後で考察する何らかのメリットがあるとしても、全体としてのバランス・シートは、大きな赤字をしるすに相違ない。

右のような不満や反逆の累積のほか、社会価値配分のヒエラルヒーの頂点に登りついたものをも含めて、前述したような体力および知・情・意に及ぶ欠陥人間を大量に送り出すとすれば、実質的な赤字はさらに決定的なものとなる。――このことが分かっていながら、ひとたびのめり込んだテスト体制は、容易に改革されそうもない。六〇年代後半の学園紛争いらい、大学の諸制度や受験制度に関する種々の改善案が提案されながら、状況はいっこうに良くならないのである。それはなぜか。

はじめにも述べたとおり、こういう事態になった原因は、多様かつ複合的で、単純には解明できない。ただ、個人および国家＝社会の両面に大きく分けていえば、ほぼ次のように捉えられよう。まず第一に、個々の親や子どもが、――経済成長に支えられて教育費の負担能力を増したうえに――〃よりよい生活と地位〃を求めて、〃よい大学〃へ進学するための競争をはじめ、その運動の拡がりにつれて学歴主義や学校の格差をいっそう推進し、ひいては受験競争をさらに激化させる――という悪循環を形づくったことである。多くの学校の教師たちまでが、こうした流れに乗ってテスト教育に力を入れ、さらに大小さまざまの受験企業がこの風潮をあおり、かつ広めてきた。

第二に、国の文教政策や経済界の要請が、能力主義の路線でこの体制を推進してきたことも見落せない。文部省の学テの強行はその典型例であるが、それに劣らず学習指導要領の押しつけや教科書の検定等の教育統制が、能力主義の発想に従って、教育の規格化を推し進めてきたことは、周知のとおりである。七〇年代の新しい段階における中教審答申の路線も、「このような行政の非民主的、権力主義的なメカニズムのもとで、教育そのものを企業中心の能力主義的多様化政策によって貫こうとする」もの（梅根悟『私の中教審答申批判』一九七二年）として、右のような体制を強化する意味をもっていたといえる。

国・経済界・諸個人の各レベルで、このように推進されてきた受験体制は、その根源にまで掘り下げて、これでいいのかどうかを問い直さなければならない。その禍害がもはや放置できないまでに広汎かつ深刻になっているのに、どういう理由でそれが維持され――むしろますます強化さえされ――ているのだろうか。この問いは、競争原理とその日本社会における実態の根本的な見直しを要求する。

3　競争原理の検討

人間と競争――競争原理の意義

人間の社会を健全に存続・進歩させていくうえで、一方において連帯の原理が不可欠である反面、他方では競争の原理も必要である。生物界の一員としての人間にとって、生存のための競争は――社会的ダーウィニズムが一面では正当に指摘してきたとおり、それが生物界に法則的に働くかぎり――むしろ不可避でさえある。ただ、人間の社会では、H・スペンサーの亜流が主張してきたように、

《優勝劣敗の法則》が、むき出しに貫徹するのではなくて、倫理や感性によって抑制されており、いわば「ルール化された闘争」とも呼ぶべき文化的競争が、長い時間をかけて形成されてきた。戦争の場合には、ともすればルール（戦時国際法の諸規定など）は無視されやすいが、ふつうの社会状態の下では、もっとも原初的な食と性をはじめ、政治＝社会の諸関係をめぐる闘争は、文化規範によって統制され、つまりは人間的な競争に転化されているのである。

動物行動学者の報告によれば、他の動物においても、自己保存の本能としての攻撃性は、種々の仕方で抑制され、そのために「道徳類似の行動様式」（K・ローレンツ『攻撃――悪の自然誌』日高・久保訳、I、一九七〇年）がみられるという。種内攻撃に本能的抑制の乏しい人間においては、ルールによる競争がとくに必要とされるはずである。

また、これとは別な意味で、競争は人間にとって欠くことのできない行動要因である。カントは、人間の「非社交的社交性」について論じた有名な論文（「世界公民的見地における一般史の構想」一七八四年）のなかで、人間相互の拮抗＝競争こそ、人がもつ内的な力をめざめさせ、怠惰の性癖を克服させて、文化を創り出す動因となるものだと述べているが、これは多分に真実を言い当てているといえるだろう。

人間の競争心は、名誉欲や出世欲、支配欲や所有欲と表裏をなして、創造的な（時にはまた破壊的な）仕事に人を駆りたてるものである。もし人間がそうした競争心・功名心をまったく欠いたなら、――つまりは他人のしないこと・出来ないことをして、一歩でも抜きんでようというヤル気がなかったら、――学問でも芸術でも、技術でもスポーツでも、人類が果たしてきた進歩や創造は期待しえなかったであろう。競争心はまた、人間特有の好奇心とともに、人間に必要な刺激を得るための、——D・モリス(『人間動物園』一九六九年)のいわゆる〈刺激のための闘い〉と取り組むための、——活動のバネになると思われる。競争そのものが刺激として働き、どれほど多くの文化財が産出されたかを想えば、その積極的意義を否定するわけにはいかない。

教育の分野における競争も、各人の能力の練磨、可能性の開発という点で、積極的な側面を持つことは明らかである。仲間どうしの切磋琢磨やライバルとの競い合いは、人びとの向上のこよなき刺激になる。公正かつ適度の競争は、怠惰や安居による退化を防ぎ、教育の目的を達成させるために、有効かつ必要な方法だといわなければならない。

さらにそれとはまったく別に、公正な競争は、自由と平等を理念とする民主主義教育にとっても、絶対不可欠な条件である。競争は自由な意欲と参加を前提するし、能力以外の諸条件による差別の扱いを排除する。現に公正な受験競争の制度は、封建社会の不合理な身分制を打破し、平等の原則に沿う人材の登用に道を開く役割を果たした。それは今日でも、不当なコネや腐敗手段(実際には裏側では少なからずおこなわれているとみられるが)にかわって、教育(ひいては就職)における機会均等を保障するうえで、重要な機能を営んでいるといえよう。

大学などの入学試験制度のほか、司法試験・国家公務員試験その他の国家試験の制度も、右のような公正な競争を通じて、社会に有用な人材を養成・選抜することをめざしているはずである。それに参加する生徒・学生らが、その公正さを信用し、みずからの努力と能力に成否を賭けているかぎり、各種の受験制度は広く積極的に受け入れられる意義をもつといってよい。その限りでまた、国家=社会を支配するエリートの選抜のメカニズムとしても、試験制度は一般に支持されるだけの合理性をもち、社会の安定にも貢献することができる。

受験体制のひずみ——疎外の力学

うえのように見てくれば、公正な試験制度とその前提となる競争原理は、民主社会の存続のためにも、個人能力の伸長と人格の発展のためにも、有用かつ不可欠な意味を失わないというべきである。にもかかわらず、今日それが根本的に批判され告発されるのには、それなりの理由があるといわなければならない。何よりも、上述したような種々のメリットや必要性にもかかわらず、わが国の受験体制（入学試験制度というよりはもっと広いテスト中心の教育システム）が、重篤な病理徴候を呈していることは、まぎれもない事実である。

(a) 第一に、過熱した点とり競争、記憶と技術に偏したテスト訓練の連続は、前にも述べたように、子どもの心身を磨耗し、歪んだ人格形成を強いることになっている。小学校の幼い生徒・児童までが、テスト主義の鋳型にはめこまれ、人格の変質を余儀なくされる状況は、ずっと前から報告されてきた。日々の点数争いは、互いに助けあう友情のかわりに、自分だけのことしか考えない閉鎖的なエゴイストを育てるようになる。五点評価の「5」を争う過程で、「小さなかわいい天使たちは、数年のうちに、小憎らしい我利我利の小悪魔と化してしまう」（『教育の森』第2集）。その結果、友情の基礎は失われ、〝人間と遊ぶなら犬と遊ぶ方がまし〟だといった、人間不信から自閉症ぎみになる子がふえたり、競争相手の友だちを蹴おとすために、いろいろな詐術まで用いる生徒も出てくる。……

この種の例をあげればキリがない。今日の受験体制がこうした犠牲者を大量に産出していることは、前節でも述べたとおり、それが反教育システムになっている何よりの証拠である。

(b)　諸学校のほか学習塾をもふくめて、教育機関の大多数がそれぞれに真剣に努力すればするほど人間疎外を推し進める傾向にあることは、現代日本の教育の根本的なパラドックスである。しかし、そのメカニズムは存外簡単で、外国人の観察者にさえも、大筋としては十分に把握されうるものであった。ＯＥＣＤの教育調査団の「日本の教育政策に関する調査報告書」（一九七一年）は、日本の大学入試が高等学校を「入試準備のための詰め込みの機関」とし、さらには中学・小学校に至るまで、ひいては「大学それ自体、そして社会一般に対して、重大なゆがみをもたらしている」ことを、的確に指摘した。大学↓高校↓中学校↓小学校という、入試制度の重圧の下降は、上昇志向をもつ大群による下からの競争の持ち上りと照応して、いたいけな児童まで巻き込むテスト・システムを作るに至ったのである。

こうした過程で、学校格差観はいっそうつよめられ、それによって強制的に〝落ちこぼされる〟生徒たちを増加させる、という悪循環が出来あがる。こういう構造の中では、競争の原理は、教育基本法一条に掲げられたような教育目的に適合するプラス意味を持ちえず、むしろそれとは正反対の方向に生徒たちを追いたてる役割を果たすことになろう。

(c)　学校の手段化と選別機関化

教育制度論の見地から、とくに問題にしなければならないのは、前にふれた学校格差観の拡がりと、学校教育の全面的な手段視の傾向である。〈東大〉を象徴的な頂点とするピラミッド型の大学格差は、同じように高校以下の諸学校にも相似型の格差を作り出してきた。世人の評価による格づけと実態とが、どの程度見合うかはひとまず論外として、こういう階層構造が実質的に教育の平等を損うことは、疑いを容れない。また、ピラミッドの中層以下の諸学校が、ヤル気を失った学生・生徒をかかえて、おのずから教育の熱意と水準を低下させれば、生徒らの疎外感はますます拡がり、それがはねかえって世人の格差観をさらにつよめる、という悪循環が出てくるのである。

この循環にもまして問題なのは、各段階の学校および教育課程がすべて、より上級の受験のための「手段」と見なされる傾向である。大学もその例外ではなく、多くの学生たちから見れば、諸種の国家試験や就職のためのたんなる踏台にすぎず、産業社会（とくに財界）からみれば、〃使いもの〃になる人的資源の加工場ほどの意味しか持たなくなりつつある、といっても過言ではないであろう。そのように手段視された学校で、「真理」を学ぶ喜びが得られ、「人格の完成をめざし」た教育がおこなわれる、と期待することは困難である。

(d)　上述の構造に加えて、これをいっそう固定化し推進するものとして、文部省＝中教審のいわゆる「能力主義」の文教政策がある。先にあげた中教審答申は、社会の新状況に適合する政策として、能力主義とそれに基づく〃多様化〃の基本路線を提示した。そこでの教育の〃多様化〃は、教育基本法の理念に沿う民主的多様化（後述）ではなくて、一口にいえば人間を「労働力としてとらえ、企業にとって有効・有利なマン・パワー選別と開発を第一主義とするものであった」（前掲『日本の教育改革を求めて』I）。その思想的系譜は、経済審議会が一九六三年に出した「人間能力開発の課題と対策」にさかのぼるものであり、さらには財界の教育政策（日経連の「科学技術教育振興に関する意見」一九五七年、など）につらなると考えられる。

この中教審構想は、「あたかも大規模工場の生産工程のように、原料を選別・加工し、最後の包装までやってのけるフロー・チャートを思い出させる」と評された（遠山啓『競争原理を超えて』一九七六年）。この工程での原料は「子どもたち」であり、製品は「おのれの分を知って、従順で、黙って働く国民」のことだというのである。政府・財界にそうした意図があるとすれば、現行の受験体制は、それにかなり適合すると見られよう。物事を根本的に考えないで、正義も真理も友情も受験成功（つまりは〝出世〟）のためには平気で犠牲にするといった青少年は、従順な使用人――いわば新しい現代型奴隷――としては、まったく適格だろうからである。

このように見てくれば、いまの受験体制は、意志も情緒も批判力も欠陥だらけで、記憶装置だけを無理に発達させた知的奇形児を養成し選抜するために作られた、巨大なメカニズムに化しているのではないだろうか。児童の段階から十数年もテスト教育を加えて、奇形的な規格品を生産することは、現行のエスタブリッシュメントの立場から短期的にみれば、教育の〝合理化〟の当然の道筋だと考えられるかもしれない。しかし、非人間的に規格化される児童・生徒たちにとってはもちろん、長い眼でみれば国家＝社会にとっても、それはとうていがまんできない、巨大な損失を生ずる背理でしかありえない。このことは、前に見てきたバランス・シートからも明らかであるが、さらに「能力」論の見地から――いわば制度内在的に――いっそうよく検証されるだろう。

4 「能力」主義の再検討

テストによる選抜と〈能力〉の開発

テストじたいは、先の競争原理とはいちおう離れて、教育の達成効果を測定し、教育法の改善などに資する意味では、適切におこなわれれば、生徒・学生の能力の開発にも役に立つものである。問題は、そうした手段としてのテストが教育の場をおおい、父母や生徒たちから教師に至るまで、それを目標にするようになってしまったことにある。手段たるべきテストの目的化は、目的たるべき教育の手段化と表裏をなして、大規模な教育荒廃の主要因になっているのである。

この倒錯現象は、少し考えれば誰が見ても、馬鹿げた悲劇としか言いようがない。それにもかかわらず、テスト体制は、測り知れないほどの禍害をばらまきつつ、依然として維持されている。これには一方で、前述したような支配層の教育要請、父母たちの――〝自分の子だけは何としてでも良い大学へ〟という――エゴイズムが支えになっているほか、テストの公平さへの一般の信仰および有用な能力の開発と選抜のためにはテストは必要かつ有効だという神話が働いているように思われる。さしあたり「能力」論に関連して、この最後の点がとくに問い直されなければならない。――はたして今のテスト方式で、すぐれた能力を開発し選抜できるだろうか。

この答えはどうみても、否定的たらざるをえないように思われる。第一に何よりも、学力テストは、限られた一部の能力しか選別できない。とくに受験者の増加に対応してマーク・シートによる大量処理方式をとらざるをえない状態の下では、試験はますます機械化し、テストによる選別の幅はいっそう狭められてくる。また、これに対し生徒たちの側でも、ますますこまぎれの知識のつめこみを強いられていることになり、練磨される「能力」も、勢い偏らざるをえなくなる。こうして受験技術が進歩すると、基礎的な知識のテストでは「優劣」の判断ができないとあって、いわゆる〝足切り〟試験の段階から、奇矯な問題が出されたり、教科書にも出ていないような特殊な「知識」が求められたりすることにもなる。近頃では大学側でも、綜合的な判断能力をテストできるような配慮（たとえば論文方式の採択など）が、一部ではなされるようになってはいるものの、試験の技術性や規格化傾向は、防ぎとどめえない大勢となっているといえよう。この制度下で選抜される「優秀な能力」は、きわめて偏ったもの――主として記憶＝再現能力と、せいぜい（つまらないテスト訓練に耐えうる）忍耐力――でしかないことが、まずもって十分に確認されなければならない。

テスト体制による人間の疎外と序列化

第二に、学力テストによって測りえないものを考えてみれば、その限界と効用はいっそうはっきりする。学力（それもごく限られた範囲の知力）のテストでは、子どもたちの心のやさしさや冷たさ、感性の豊かさや貧しさ、意志力の強さや弱さ、などは計測できないだろう（この点については後で再考することにする）。いわゆる能力の問題だけに限ってみても、事物を根本的に探究してゆく能力や意力、あるいは常識を超えた独創的な発想力などは、テストの網目から抜け落ちてしまうにちがいない。今日のテスト体制の下では、――ごく稀な例外はあるにしても――とび抜けた独創性を持った生徒は、ほとんど振り落されて、生涯その才能を伸ばし活かす機会を失ってしまうのではないだろうか。晩成型の天才や、偏った天分をもつ異才は、小・中学校の段階のテストではねのけられ、〃落第生〃のレッテルを貼られたまま、その能力を腐らせてしまうおそれが大きい。反対に、要領のいいこまっちゃくれた技術的才能（それも早熟型ほど有利）の持主が、〃頭のいい〃エリートとして選ばれ、支配的な座につけられる。こういう仕組みが、真に合理的な選別方式といえるかどうか——前に述べた受験体制の禍害をいちおう別にしても——、まったく疑問だといわなければならない。

第三に、テスト中心主義の最大の問題は、右のような明瞭な欠陥や限界があるにもかかわらず、受験の成績や成否によって、人間の序列を決めてしまうことにある。偏差値によって序列化された生徒たちは、受験企業や教師たちによって格づけされた上級校に送られ、そのようにして一生の職業や地位までも、大わくとして他律的に決められてしまう。一定の方法による一定範囲の学力の測定——しかも人生の早期の段階における試験——の結果が、各人の人生を左右し、時には生涯の地位の格づけまでするということは、何と不合理で乱暴なやり方であろうか。テストの点数によって、生徒たちを「一直線に序列化すること」は、「教育の本質からみて必要でない」ばかりか、そのための勉強と競争は「邪道である」（遠山・前掲書）というほかない。

ましていわんや、その直線的序列を社会における価値配分（地位や名誉や収入など）の決定的基準にすることは、どんな意味でも正当ではない。小学校から大学までトップを切った秀才が、——その〃頭の良さ〃のゆえに恵まれた環境に置かれたにもかかわらず——政官界・財界あるいは学界などでロクな仕事もしない例はいくらもある。逆に落第者の中からも——その〃頭の悪さ〃のゆえに逆境に置かれたにもかかわらず――真に賞賛に値する偉業を果たした者もたくさんでている。さらに、人間としての生き方や心の豊かさなどの観点をとってみると、テストの序列が人生航路で逆転する場合は、ずっと多くなるだろう。そうしてみれば、受験成績の序列の過大視とその人工的な固定化は、青少年の発達可能性の芽をつみ、社会にも大きな損害を与える点で、本来の競争原理にさえも反するといわなければならない。

「能力主義」と能力観の検討

以上のような諸点を考えれば、わが国のテスト体制は、狭い意味の学力を人間の全面的能力と同値と見たてる一元的価値観に立っていることが分かる。そこには同時に、競争原理の歪んだ制度化がおこなわれ、さらにそれと絡んで政府・財界の「能力主義」も強力に働いていると見られる。いや、この「能力主義」こそ、まさにテスト適応力イコール学力、〃学力〃イコール人間能力とする点で、特殊な一元的価値観を代表するものである。この単純な一元観が、多数の父母や生徒・学生の考え方まで支配してきたことは、それじたい異常な現象であるが、その正常化のためには、「能力」観の根本的な検討と変革を必要とする。

第一に何よりも、人間の能力はきわめて多種多様である。社会生活に必要なものだけ考えても、たとえば医者や農民、教師や大工、技師や警官、数学者や芸術家やスポーツマン等々、各種の職業や専門に応じて、異なった能力が要求される。同じ芸術でも絵画と音楽で、同じ医者でも外科と内科で、同じ陸上競技でも投擲(てき)と長距離競走などで、それぞれに違った能力が必要とされる。こうした例からも明らかなように、有用な能力は分野や対象によってまったく違ったものとなる。いわゆる一芸一能に秀でて、社会に何らかの貢献ができ、みずからもまたその練磨に生きがいを感ずることができるものならば、それはいずれも人生にとって有意義な能力であり、それらの間に絶対的な価値のランクをつけることはできないはずである。

そもそも、無限といっていいほど多様な各人の能力の間には、互いに異質で比較の仕様のないものが多い。それぞれの分野の能力は、それぞれ異なった仕方で測られ、評価されるべきものであろう。たとえば、各種のスポーツでの優劣は、すべて一定のルール・約束事を前提したうえではじめておこなわれるのであり、ボクシングや百米競走や槍投げの選手の優劣を互いに競わせるなどということはナンセンスである。ましてこれらの選手に、たとえば数学なり将棋なりマージャンなりをやらせて、それで彼らの「能力」を測定しようなどと考えるものは、一人もいないだろう。ところが教育の場では、一定の学科群についての一定方法のテストだけで生徒らの「能力」を測定できるという神話が、現にまかり通っているのである。考えてみれば、これは――同種の傾向は諸外国にも現われているが――まことに驚くべき偏向といわなければならない。

能力の退化――何のための選別か

テストによるこうした人間の選別――ひいては現代型の格づけ=差別――が、個々の人間をスポイルするだけでなく、社会にとっても大変な損失を生ずるということは、前にも指摘したとおりである。その制度は、真に秀れたエリートの選出を狙っているとすれば、おそらく失敗策というしかないであろう。上述のごとく、多くの晩成型の天才やユニークな独創的人物は、その網目から抜け落ち、それらの相当部分は才能を磨滅もしくは埋没させたままになるだろうからである。またテスト訓練を経て選りすぐられたエリート（および準エリート）層の多くが、綜合的な判断力や温かい心情などを欠いた、要領のいい機械的人間であるという確率は、かなり高いと見なければならない。

思うに、健全な社会の担い手となる主体は、高度の知的能力（記憶力よりは判断力・分析力・洞察力など）のほか、広い意味の能力＝資質として、創造性、責任感、意志力、美的感覚、思いやりのある温かな心（ヒューマニティ）、連帯意識、それに体力などが必要である。はじめにも述べたとおり、冷酷な受験体制は、これらすべてを磨滅・消耗させるように働いている。さらにいわゆる〝落ちこぼれ分子〟のうちには、非行集団や過激派への走り込みによって、彼らを絶望させた社会に〝敵討ち〟をする者も少なからず見積られよう。これはまさに、能力の「負化(マイナス)」であり「反社会化」である。このように必要な国民的能力を退行させる教育システムの続行は、〝亡国〟につながる病理以外の何であるといえるだろうか。

他方で、狭い「能力主義」と一元的価値観に基づくテスト体制が、政府や財界の〝指導〟によってだけでなく、広い国民の志向によって維持されていることも、忘れられてはならない。はじめにも述べたとおり、子女の幸せな生活やより高い地位の確保を望む父母たちの願いは、それじたいとしては自然の心情であって、そこから来る教育熱心も非難よりは賞賛に値する。しかし、父母たちが自己の子女の出世や幸福だけを追い求め、彼らを社会的上昇のエスカレーターに乗せようとするとき、盲目的な受験競争にのめり込んで、自他をともに不幸にするテスト体制の陥穽にはまってしまうことになる。

この生徒や父母たちの間に流布され信奉されてきた「能力主義」は、ベーコンが「市場のイドラ」と呼んだところの、「言葉と名称によって知性に侵入する」誤った観念にほかならない。公正な試験を通じて能力を評価するという建前は、憲法二六条の前提する要件であるが、人びとは、建前たる理念をもって「能力主義」という概念を善意に理解し、上述したようなその実態と機能にあえて目を閉じてきたように思われる。しかし、国民が一日も早くその実態を明らかに認識し、人間を機械的に選別＝差別する非情なメカニズムを打破しなければ、教育の荒廃は収拾しがたいものとなるだろう。

「出世」観に関する若干の考察

上述した一元観の序列主義は、視角を少し変えてみれば、つまるところ現代社会における人間の「物象化」の表われである点に注目すべきだと思われる。資本主義の社会では、「人間能力の一部を人格から切り離して」、個性を捨象した抽象的商品価値として測る結果、量化された「能力の一部が、逆に人格をのっとり、格づけをし、社会のなかでの人格の運命を左右するという本末の転倒がおこる」（大田堯『学力とは何か』一九六九年）、と説明される。私は、似たような現象が、建前上は起こるはずのない社会主義国でも別な形で生じているのではないかという疑問を抱いているが、それはともかくとして、右の指摘はわが国の実情をほぼ正確に言い当てているといえよう。

六〇年代から推進されてきた、わが国の政府・財界主導の「能力主義」は、人間の主体的個性を切り落してその部分を商品化するところの、いわば物象化の論理であった。国民がこれに乗せられて、自分たちの子どもを機械的に序列化する競争に入ることは、子女を人間疎外の犠牲壇に捧げるに等しいパラドックスである。子どもの〝成功〟や生活の安定を望んでの結果とはいえ、これは子どもの人間としての発展や幸福の可能性を奪う、悲劇的な追随にほかならない。こうした誤った能力観や序列主義の変革こそ、いまの教育を正道に引き戻す基本の要件となる。資本主義社会における人間の商品化の傾向の中で、疎外に抗することは難事には違いないが、この事態を認識することは、解決の途への第一歩になろう。

右の点と関連して、テスト中心の反教育による人間疎外から、教育を再建させていくためには、国民の側で「能力」観を再構築すると同時に、能力＝序列主義と結びつく〝出世〟志向の幸福観を、根本から鋳直す必要があるようにおもう。子どもの尻を叩いて闇くもに受験勉強に駆り立てる教育熱心な父母たちは、何よりもそれが子どもたちにとって本当に〝幸福〟かどうかを、真剣に考え直してみなければならない。この反省には、上に述べてきた諸点の検討とあわせて、日本の国民の出世観や幸福観について多少歴史的に考察してみる必要がある。けだし、今日のわが国における受験競争は、明治国家以来の国民の出世観——日本的上昇志向のイデオロギー——とかなり濃厚な連続関係にあると考えられるからである。

明治国家以来の〝出世〟志向

明治国家の教育原理は、——発展段階によってニュアンスの差はあるにしても——天皇制国家の要求に見あった忠良・有能な人材の養成にあった。それにあわせて明治国家は、体制に背く「不逞（ふてい）」の徒へは厳しい制裁を加える反面で、〝出世〟を求める秀才に登龍門（陸士・海兵や帝国大学など）を開き、十分な報賞（地位や勲章など）を用意した。中央官僚制と軍を中心とするその支配体系の中に入り、一歩でも高い地位に進むことが、〈立身出世〉（世の中に出て立派な地位・身分になること）であり、大多数の民衆もそれを栄誉として讃え、子どもの出世を願望するようになった。「仰げば尊し我が師の恩」の歌詞の中にも、〃身を立て　名を挙げ、やよ　励めよ〃と歌われていたように、子どもらにも絶えず〈立身出世〉への夢が鼓舞されていたのである。

　こうした民衆の上昇志向を巧みに操作し、かれらの統治およびエリートの選抜に利用する点で、明治国家はきわめて悧巧であった。支配の中枢部で分けあう位階勲等は、上層の官僚・軍人たちの〃偉さ〃を印象づけ、彼らの〃忠誠心〃を高め、さらには〃有能〃な青少年をそれに向けて駆り立てる、複合的な機能を持っていた。

　天皇を最頂点とするこのような栄誉配分の道具だての中で、多くの人びとの出世観は、おのずから中央志向と官尊民卑の傾向を帯びてくる。「天皇ノ官吏」と「股肱」たる軍人は、その組織内部において明瞭な階級差をもってランクづけられると同時に、集団全体として一般民衆（旧軍隊用語でいうと「地方人」）をずっと低く見下す意識を持っていた。逆にまた「地方」の人びとは、中央官治の権威を受け入れ、「中央」への陳情によってますますその権力を強め、上からの利益や栄誉のおこぼれに感泣することによって、いっそうその権威を高めるのに奉仕した。「都」に「上り」この中央の権威的組織の中を上昇していく〃出世者〃は、地方の郷党の誉れであり、「錦」を飾って家郷に帰るときの得意は格別であり、その父母たちは果報者としてうらやましがられた。この体制の上層部に子どもを一歩でも近づけることは、当時の親たちの共通の願望となったのである。

ちなみに、こうした権威的体系内で、「功績」を認められた人びとに〝下賜〟される勲章は、栄誉のシンボルとして人びとの功名心を満足させ、周囲からの尊敬や祝福を受ける対象となり、〝地位〟とともに多くの人びとの求める目標ともなった。こういうものを欲する人間のおかしさや脆さは、人間学の好個のテーマになるが、旧体制下の広い通念になっていた出世観や栄誉心が人びとを駆って、体制を不断に補強する作用を営んでいたことは、確かである。

〈負の慣性〉の克服へ

右に述べたような出世観は、〝シラケの世代〟などと呼ばれる現代の青年たちにおいては、かなり変わってきているようである。しかし、〝出世〟の意味を少し広げてみれば（たとえば大企業での安定した地位の獲得などを含めれば）、総体としてその考え方のパターンは、そのまま戦後社会に引き継がれているように思われる。象徴天皇制および行政官僚制の温存と相まって、依然として勲章がありがたがられるような風潮が残っているのも、その象徴的な証左の一つである。勲章などの配分にも表われる官尊民卑の傾向の存続も、明治国家との連続性を示している。肩書きによる世間の〝差別〟観、とくに中央官庁や大企業の管理職などを〝偉い〟と見る意識は、依然として変わっていない。星と碇の権威を負った軍人がなくなった後では、そうした分野のエリートを養成する東大・京大などが、〝優秀な大学〟の代表とされ、それらの〝狭き門〟に向けて激しい受験戦争がくりひろげられてきたのも、上記の傾向の表われにほかならないといえよう。

このようにみてくれば、現代教育を歪める要因の根本のところで、われわれは明治いらいの長い生活意識や出世観の慣性を引きずり、むしろそれをいっそう強めた形で、子どもたちを人造の〝地獄〟に追いやっているということになる。受験産業の盛況も、学校間の格差づけも、テスト訓練の明け暮れも、それらの所産としての非行や暴力のはびこりも、それぞれに個々の理由や原因はあるにしても、つまるところそれらの裏側には、国民の惰性的（つまりは非主体的）な価値観が働いているとみられる。そしてそれは、個々の国民のホンネたる欲求に根ざしているだけに、現代社会において加速化されたこの社会的慣習を直すのは、かなりな難事だといわなければならない。

今日のような受験地獄やテスト体制の解消は、しかし、どうあっても果たさなければならない。しかもその根底にある〝出世〟志向が、上述のような権威主義（別な言い方をすれば事大主義）に結びついているとすれば、これは、各人が自由な主体たるべき開放社会を作るためにも、克服されなければならない負の慣性である。ただ、少なからぬ国民が、このマイナスの大きさに気づきはじめた今日、これを矯正する可能性は、決して小さくはないであろう。

官庁にしろ大企業にしろいわゆるエリート・コースを順調に進みえたとしても、身心をすり減らして勝ちえたいわゆる〝出世〟や成功が、人生でいったいどれだけの意味をもつだろうか。仮に地位や物質的な生活面で栄華をきわめた人間でも、〝出世〟のために心の豊かさを失い、貧しい精神生活しかもちえないならば、どうしてそれで幸福になりうるだろうか。人間としての幸せの問題を内面で考える人びとは、ひたすら栄達を追い求める愚かしさに気づくにちがいない。そしてそういう根本的なものの考え方が拡まるとき、制度の改革にとどまらず、一人びとりの生きる草の根の部分からの社会変革が可能となると思われる。

5　小結――現状改革の方向

総合診断――現状認識のまとめ

さて、日本の教育の現状認識、および競争原理と能力論に関する以上の検討を通じて、ほぼ次のような事態が明らかになったといえよう。

(1)　大学から小学校に至る受験競争の過熱化は、〃乱塾〃状態を招くにとどまらず、高校以下の主要な諸学校をテスト体制の中に巻き込み、多くの児童・生徒を点とり競争とその訓練に駆りたてることになった。

(2)　テスト中心の教育と点数による序列化は、「人格の完成」をめざすべき教育を攪乱し、児童・生徒からゆとりある学習や遊びを奪い、知・情・意および身体の全面的発達に重大な障害をもたらしている。

(3)　こうした受験地獄の中で、〃落ちこぼされた〃大量の児童・生徒たちは、個性伸長の機会を失い、潜在的能力を腐らせてしまう可能性が大きい。そのため多くの青少年が、挫折のゆえに無気力になったり、反社会的集団に入ったりすれば、社会がこうむる損失は絶大なものとなる。

(4)　テスト体制において訓練され選抜された生徒・学生たちも、多くは個性を喪失した記憶＝良能型の規格的な人間であって、感性、創造性、意志力、開拓精神、ひいては「国際社会で通用する」能力（松山・後掲書）に欠ける傾向がつよくなりつつある。

(5) これらの諸点を綜合すれば、テスト体制は、エリート選抜の機能面だけとっても失敗を重ねており、むしろ次代の日本人を大量に駄目にする反教育のシステムになっている。その抜本的な改善は、早急に達成されるべき国民的課題といわなければならない。

周知のとおり、このような受験体制の背景には、日本の国民の学歴信仰がある。国民じたいそれに気づいていることは、世論調査にも現われている。NHKの調査によれば、「現代の日本では、実際の能力以上に学歴が重んじられる、いわゆる学歴社会だとみている人は、七～八割と多い」(NHK『戦後世論史』一九七八年)。はっきりとそう見る人びとは、一九六七年・七五年の両調査とも、ほぼ五〇%を占め、〝そういう場合もある〟という三〇%前後を含めると、大半は学歴主義の横行を認識している。

国民も企業も、問題に気づきはじめている

同時にまた、国民が学歴主義や受験競争の弊害に気づき出しているのも、他面での事実である。読売新聞の調査(一九七六年)をみると、教育が受験中心になり、〝人間性がおろそかになる〟とする批判的な見解は四六%で、〝競争はどこにもあり、入試も人生の一つの試練である〟という肯定論三二%を、かなり上まわっている。朝日新聞の調査(一九七八年)もまた、〝いまの教育に不満がある〟とする人びとは全体の五八%にのぼり、その中の相対的多数が〝受験地獄〟(一一%)、〝詰め込み・落ちこぼれ〟(一一%)、〝きびしさ・道徳に欠ける〟(七%)、〝のびのびしていない〟(六%)など、テスト体制の現状に対する批判の高まりを報告している。

こうした一般の世論のみならず、企業の側でもようやく今日の教育の問題状況に気がつきだして、

〝有名校〟や成績主義の採用方針を修正する傾向が、若干ながら見られる。日本青少年研究所の調査（上場会社五一六社の人事担当者へのアンケート、一九七七年）によれば、有名大学の出身者は、「頭脳のよさ」や「判断力」では相当に評価できるが、バイタリティ、協調性においては、〝一般大学〟卒よりもいちじるしく劣る、と見られている。そういうことから、〝学校秀才だけでは企業は伸びない、バイタリティのある人物が必要だ〟という、「能力」の見直しが生じ、画一的な模範生よりも、将来伸びそうな個性的な人材が求められはじめている。

企業が真に発展を望む以上、この軌道修正は当然のことといえよう。企業にしても、官庁にしても、偏差値尺度で順位をつけられた〝一流〟校の、いわゆる秀才を求めることが、今日すでに合目的であるとはいえなくなっているからである。けだし、過当競争で個性や創造力を骨抜きにされ、家庭や〝有名校〟コースで甘やかされた〝秀才〟に、活力と創意に富んだ活躍を期待することは困難である。テスト秀才が社会でダメになる例は、これからふえていくにちがいない。

これが国際社会になると、もっと決定的な落差を生ずる。そこでは、こまぎれの知識の集積よりも、「責任感、表現力、度胸、愛敬、機転、馬力などの方がものをいうことが少なくない」からである。国際舞台で活躍してきた第一線のジャーナリストが、その長年の体験から、日本人が国内の競争で「勉縮条約」を結んで、「若い世代の良質のエネルギーを、真の国際競争強化の方向に」もっていくよう提案している（松山幸雄『勉縮のすすめ』一九七八年）ことに、私も根本的に賛成である。

右のような諸点について、最近では文部省も、何らかの手だてを講ずる必要を感じたのであろう。大学受験制度の改善案などとともに、小・中学校の教育課程の大きな手直しを図りつつあることは、その証拠といえそうである。一九七七年の新学習指導要領が、――「君が代」の国歌化への推進など内容上種々の問題を含んではいるにしても――「ゆたかな人間性」の育成をうたい、教育課程審議会の提案した「ゆとりある充実」した教課をめざし、「基礎を重視」する方針を打ちだしたことは、遅まきながら当然の方向転換といってよい。

問題は、そういう謳(うた)い文句に沿って真に「人間性」を豊かにする教育を、学校・家庭・社会のすみずみで、どのように具体的に実現していくかにある。しかし、前にも見てきたとおり、学歴信仰の根はふかく、受験体制を存続させている社会の意識とメカニズムも、そう簡単に変化させることは望みがたい。何よりも、父母・生徒たちの上昇志向と、学校の格づけをしている〃世間〃の価値観とが、相互に媒介しあって、テスト競争を激化してきた状況は、容易には改革できないであろう。現に〃ゆとり〃のある教育という狙いは、受験過熱の競争の中でもみくちゃにされ、行方不明になりつつある。その原因はいうまでもなく、先に述べたような父母・教師の大部分を包む、競争への衝動ともいうべき欲求と心理的惰性にある。

競争に入り込んでいる父母・生徒たちの多くは、受験体制の生ずる巨大なマイナスに気づいて、〃総論〃的にはその改善を要求しながらも、自分のことに関する〃各論〃としては、競争をやめるわけにはいかないと考える。わが国に限らず、――V・パッカード(The Status Seekers, 1959―野田・小林訳『地位を求める人々』一九六〇年)がいっているように――人びとが社会的地位の上昇を求める社会では、「傷ついたり、失望したり、不愉快な感情をもつことが多い」し、競争が人びとを「極度に不安定な立場に追いやる」ことは不可避である。それにもかかわらず、皆が〃分かっていても、やめられない"点で、これは軍備競争にも似ているのである。それだけに、「軍縮」と同様、「勉縮」もまた、国民が盲目的な競争の生み出す禍害を正確に認識し、長い眼で子どもの幸福を思い、また国家＝社会の将来を考えたうえで、本気に問題と取り組まないかぎり、その実現は望みがたいであろう。

むすび——若干の提言

上に見てきたような受験体制を止揚するためには、誤った「能力主義」の認識のみならず、国民の"出世"観——ひいては"幸福観"——に対する根本的な反省が求められよう。この"ものの考え方"の転換は、たしかに難事である。一つにはそれが、くりかえし述べたとおり、諸個人の"本能"ともいうべき欲求と結びついた、競争と利益の動機に根ざしているからである。もう一つにはまた、いわゆる他人志向の習わしで、"世間"の尺度に合わせる行動様式を重ねてきた日本の国民には、自主的な立場から受験体制に反抗するようなことは、とくに苦手だという事情もあると思われる。しかし、多くの人びとがしだいに我慢できないほどになっている教育荒廃の現状は、どのみち根本的に改革されなければならないし、いつかは改革も達成されることになろう。そのために広いコンセンサスが得られそうな基本方向として、最小限度次のような諸点が指示されると思われる。

(1)　学校の成績や出身校のランクなどで、生涯の地位や職業を決定づけるような学歴主義をやめるために、一方で大学等の格差の解消に努めるとともに、評価＝テストの延長と多元化を計る必要がある。すべての人びとに、人生のさまざまな段階で多種多様な能力の評価をおこなう機会を与え、少なくとも教場からは人生の"落ちこぼれ"がないようにすることである。

(2) 右と並んで、教育=学習のコースを延長し、かつ複線化すべきである。有名大学を〃出世〃へのパスポートの発行機関とするような偏狭なコースにかえて、すべての人びとが真に学問を学べるような生涯学習のシステムを作ることが必要である。近頃では政府=文部省までが「生涯教育」を強調しだしたことは、一つの前進として評価すべきだが、それを実現するためには、学校制度のほかに、高度の相互学習ができる無数の〃市民塾〃や〃市民大学〃のような、自主的な学習の場が出来なければならないだろう。

(3) 児童・生徒の身心を損う受験競争をなくし、ゆとりのある学習と身心の鍛錬をなしうるよう、入試制度・カリキュラムなどの思い切った改善がなされなければならない。偏差値による直線的な序列化にかえ、多元的な能力の評価をおこなうことによって、人格を傷つける差別を廃する。そのためには前述したように、学校間の格差を解消しながら、コースを多様化していく必要がある。なお、学校格差をなくすために、入試と組み合せて抽せん制を採ることも考えてみてはどうか。

(4) 幼少年の段階(初等・中等教育)においては、子どもたちの潜在的可能性を十分に開かせる前提として、偏らない教育が必要である以上、一定の限度では全国的に一律の規準で、基本的知識の付与と技能の訓練をおこなうように配慮される必要があろう。しかし、その段階でも、個性を伸長させる教育的配慮がたえず加えられなければならない。それ以後の高等教育課程は、各校の独創性を重んじ、「学問の自由」の原理によって、原則として学校=教育者(および大学院以上では研究者)の自律に委ねられるべきである。

(5) 大学は、今日までのように〃入りがたく出やすい〃ものから、〃入りやすく出にくい〃型に改め、入学後およびとりわけ大学院での学問研究については、学生を厳しい競争にさらして訓練することが望ましい。みずからの意志で自主的に選びとったコースで、激しい競争を経て学問と技能を向上させる期間が、専門職をめざす者に課せられることは当然だからである。また、企業や官庁も、惰性的な学歴主義をやめて、総合的な判断で意欲と実力のある人材を求める方針に切り替えていく必要があろう。

(6)　教育の機会均等の原則を維持し、かつ上述したような長期かつ多様なコースにわたる教育と試験の可能性を開くことを前提にしたうえで、ある種の英才教育の方法は考えられてよいと思われる。ただし、その場合には同時に、誤った過当競争などの弊害が生じないように、価値配分の方法（〃英才〃処遇の仕方）などについて、十分な検討がなされなければならない。（私見では、別格の〃英才〃にも、それにふさわしい名誉を与える以外には、地位・収入などに特別の処遇をしない方がよいと思われる）。

以上のような諸原則が、仮に国民的コンセンサスが得られたとしても、これを具体的に制度化するには、もちろん多種多様の考え方や構想が成りたつと思われる。いや、原則そのものにも、種々の異見がありえよう。ここでは、一つの試行的な提案として私見を示し、国民的論議の参考に供するにすぎない。あらゆる論点について、自由で豁達（かったつ）な討議が広くおこなわれることを期待してやまない。おそらく、そういう国民的論議の積み重ねによってはじめて、個人的利害を超えて現代における人類の問題状況をも考え、かつその解決に創造的に加わりうるような、主体的な国民の力が生まれてくるものと思う。

第2章

現代の環境と子どもの基本権

――子どもの人権を脅かす今日的状況――

1　子どもの人権とその態様

今日の子らをとりまく環境

いまの子どもたちは、幸せな環境で育っているだろうか。腹いっぱい食べることができ、ぜいたくな学用品や遊び道具をたくさん持っている今の子どもは、貧しい戦前の子どもたちにくらべて、ずっと幸せになっているようにみえる。物質的に豊かになった面だけとってみれば、たしかにそういえるかもしれない。しかし、物質生活の利便や向上は、今日の子どもたちから、その成長に必要な何と多くのものを奪い去ってきただろうか。都市化の拡がりは緑や遊び場を激減させ、自動車の普及とそのための道路の整備は、利便と引替えに騒音と排ガスと危険をばらまき、臨海工業は、白砂や魚貝を奪い、農薬は清浄な野菜や果物をなくし……等々、数えあげればキリがない。

それにもまして、おとなたちが織りなしている現代の人間関係や制度は、子どもや青少年の心身の発達に、多くの歪みや災いさえ与えている。古い「家」制度がなくなって、人びとが不合理な封建的束縛から解放された反面で、おとな（とくに男性）たちが企業中心の社会の〝働きバチ〟になって、核家族化の中で親としての教育を放棄する傾向が一般化し、家庭内での親子の交流や〝しつけ〟――つまりは家庭の教育作用――はおそろしいほど低下してしまった。そしてもっと悪いことに、第1章で見てきたように、歪んだ受験競争が、大部分の子どもたちをおし包んで、無気力や無関心などの現代病を蔓延させている。これらはすべて、現代社会の所産にほかならないけれども、子どもの未来と幸福に生きる権利を、こうした流れに放置して、立ち枯れにしたり腐らせたりしてはならない。現代のおとなたちは、みずからが作り出した環境に対して、子どものためにも責任をとるべきである。

ところで、国連が定めた先頃の「国際児童年」は、これまでともすれば忘れられがちであった子どもの人権についてあらためて考えさせる、よいきっかけを提供した。「核」に象徴される現代技術文明の発達のなかで、世界の子どもたちの人権は、「東西」の軍事的緊張や「南北」の経済的格差、増大する人口と減少する資源とのギャップなど、世界大(グローバル)の問題のほか、それぞれの国の諸矛盾や困難な重圧を受けて、至るところで大きな障害に直面しているからである。

経済的にはもっとも恵まれた部類に入るわが国でも、うわべの繁栄の裏側では、自然環境の破壊や教育のひずみなどのために、子どもたちの健康な成長は歪められ、その未来は決して明るいとはいえない。日本のおとなたちは、自分の生活や享楽にかまけてこれまで本格的には考慮しなかった、子どもたちの本当の幸せについて、真剣に考えてみなければならないと思われる。そのさい、子どもたちの幸せの基本条件として、子どもの人権を中心に置いて考えることが肝要である。

これから育つ子どもたちの人権

もっとも、子どもの人権といっても、「人間の尊厳」から出発する人権の諸原理は、おとなと子どもとで質的に異なるはずのものではない。民主的な社会では、おとなも子どもも等しく生存権や幸福追求権をもち、また、人種的・身分的・社会的に差別されることなく、社会保障や教育を受ける権利を有する。これらの基本的な権利は、世界人権宣言(一九四八年)でも、一九五九年に国連で採択された

「児童の権利宣言」でも、共通に認められている。

しかし、基本的諸権利の具体的な保障や行使については、すでに成熟したおとなとこれから育っていく子どもとの間には、おのずから大きな差異が生ずる。早い話、幼稚園児や小学生にとって、労働権や結社の自由、あるいは参政権はもちろん、言論の自由でさえ、これを行使する能力も必要もほとんどないという点で、少なくも直接にはあまり関わりがない権利だといっていい。そのかわりに、子どもたちがより完成された人間に育っていくために、おとなよりもいっそうつよい度合で、また格別の配慮をもって、保障されなければならない基本権がある。いわゆる発達権や学習権は、その典型的なものといえよう。

人間は誰でも、生きているかぎり、進歩の可能性と幸福追求の欲求を持ち、また未知なるものを学び知る権利を有する。「生涯教育」という言葉が近頃の流行語のひとつになっているように、――私は「生涯学習」という方が適切だと思うのでこの言葉を用いているのだが――年老いたおとなでも、学習権や発達権を持っていると主張できるはずである。しかし、児童の場合には、少なくもこれらの基本権は、格別に重要な意味をもって保障されなければならない。かけがえのない生命(いのち)を地上に享(う)けて、長い人生への旅立ちをはじめたばかりの子どもたちにとっては、健康に育ち・学び・遊ぶことが、〝人間として生きる〟課題そのものにほかならず、したがってまたもっとも基本的な権利として主張さるべき意味を含んでいるからである。

小さな児童たちはむろん、これを法的権利として主張する知能も意思も力もない。彼らにかわって、この人間的な権利を法的権利にまで鋳直して、確実に実現してやることは、おとなたちの人間的な義務である。「児童の権利宣言」（前文）は、こうした道理を次のように表明している。すなわち、「児童は、身体的及び精神的に未熟であるため、その出生の前後において、適当な法律上の保護を含めて、特別にこれを守り、かつ、世話することが必要である」と。

子どもの〈生命権〉と〈発達権〉

右の点をもっと一般的に表現すれば、「人類は、児童に対し、最善のものを与える義務を負うものである」（同上前文）ということになるが、まさにここから発達権――同上第四条にいう「健康に発育し、かつ、成長する権利」がこれに当る――をはじめとする各種の権利の確認が必要とされる。発達権は一方では、生まれ出た者が等しく享有すべき「生きる権利」（生命権）に根源をもち、人間として「幸福を追求する権利」と不可分に結びつく価値観念である。人間として「幸せに生きる」ためには、何よりもまず「健康に」・「平和に」・「良い環境の中で」生きる権利を保障されなければならない。

これらの要件は今日、〃健康権〃・〃平和的生存権〃・〃環境権〃などの、いわゆる〃新しい人権〃として要請されつつある、一連の基本権にほかならない。生命権や発達権は他方でまた、社会生活の中で経済的に生活できる条件を必要とする。この点で近代法体系の中心となった財産権も、それに役立つかぎりでは今日でも依然として基本権の一つといえるが、二〇世紀においては、もっと実質的に生活を保障する国家の責務――個人の側からいえばこれに対応する「生活権」――の確立が要請される。

人間として「幸せに生きる権利」は、このように生命権から出発して、健康権―平和的生存権―環境権―生活権―発達権という一連の基本的な権利体系を形づくるが、さらにこれらを超えた文化的諸価値の実現を必要とする。″人はパンのみにて生くる能わず″というバイブルの言葉は、平凡だが永遠の真実である。発達権は、動物的な肉体の発達だけではなくて、人間としての精神の成長を必然的に含んでいる。各人がそれぞれに潜在的にもっている感覚・記憶・判断・意思その他の諸能力を最大限に″引き出し″・″守り育てる（栽培する）″――education, Erziehung などのことばは皆こうした意味を持っている――という教育の作業を通じて、ヒトは「人間」になっていく。

そのようにして育てられたおとなたちは、「児童の最善の利益」（児童権利宣言二条）のために、よりよい教育を与える人間としての義務を課せられている。逆にいえば、現代の多くの憲法が定めているとおり、子どもたちは等しく「教育を受ける権利」をもっている。もっと積極的な表現をすれば、学習する権利（学習権）が、発達権と不可分のコロラリー（相関観念）として、すべての子どもに平等に保障されなければならない。

〈文化権〉および権利保障の現実

子どもの心身の発達にとっては健全な遊びが不可欠である点で、「遊戯及びレクリエーションのための充分な機会を与えられる権利」（児童の権利宣言七条三項）も、右の学習権と不可分のものとして認められる。また、児童の知力・判断力の増大にともない、精神的発達に応じて、「知る権利」をはじめとする自由権も当然に享受されることになろう。そのようにして児童は、精神的かつ社会的な創造作業に加わっていくことになる。――先に挙げた健康・平和・環境等に関する諸権利を仮に広い意味の″生命権″という言葉で総括するとすれば、学習権や精神的自由権等を包括して″文化権″と総称することができよう。子どもたちにとって、この生命権と文化権の二系列の基本権は、いずれも人間として「幸せに生きる」ために欠くことのできないものとして、十分に保障されなければならない。

現実には、しかし、現代の世界およびより具体的に今日の日本で、これらの基本的諸権利はどれだけ保障されているだろうか。国連による「児童の権利宣言」に先立って、わが国は日本国憲法の精神に従い、「すべての児童の幸福をはかるために」、立派な「児童憲章」（一九五一年五月五日制定）を定めていた。そこでは、「児童は、人として尊ばれる」、「児童は、社会の一員として重んじられる」、「児童は、よい環境のなかで育てられる」という基本方針に沿って、一二項の格率が掲げられている。後でも若干引用するように、そのどれをとっても文句のつけようがないほど、いずれももっともな方針や原則ばかりである。

しかし、これらの規定のうちのどれだけが本当に実現されているかを考えると、理想と現実のギャップの大きさに、あらためて驚かされないわけにはいかない。子どもらの広い意味の生命権は、汚染され狭隘化された環境の中で、豊かに保障されているとは、とうていいえないだろう。広義の文化権も、先に見てきたような受験＝テスト体制の中で、ひどく歪められてしまっている。こうしてみると、児童憲章と日本の社会の実際とがどれほどひどくくい違っているか、誰の目にも明らかである。いったいこのようなギャップは、どこから生じたのか。さらに、憲章の理念に近づけていくために、私たちおとなは何をしなければならないか。――これらを考え直してみることは、子どもたちの幸せのためだけでなく、日本の社会、ひいては世界の在りようにも関わる、重大な課題になっていると思われる。

以下、もっとも典型的な現象と問題をとりあげて、今日の子どもの人権状況を考えてみよう。

2　子どもの健康権を蝕むもの

うわべの豊かさの中の貧困

生命の維持という点では、今日の日本は――とくに発展途上諸国にくらべると――非常にすぐれた条件にある。医学や医療技術の向上、衛生行政の普及などによって、幼児死亡率がきわめて低くなり、平均寿命が世界一、二のランクにまで高まっていることは、その証拠の一つである。貧困な家庭はまだかなりあるとはいえ、一般に経済生活のレベルは高く、児童の多くはむしろ飽食の傾向さえあると報道されている。飢えに悩み、就学などはほとんど出来ない、貧しい「南」側の児童が五億を超える、といった状態を考えると、日本の児童はめぐまれているといっていい。しかし、「すべての児童は、心身ともに健やかにうまれ、育てられ、その生活を保障される」という、児童憲章（一項）の約束は十分に果たされているだろうか。「すべての児童は、適当な栄養と住居と被服が与えられ、また、疾病と災害からまもられる」（同上三項）状態にあるだろうか。

つぶさに見ればよく分かるように、児童憲章の右のような約束または目標は、いろいろな面で実現されていない。表面的な繁栄のかげに泣く四〇〇万以上ものボーダーライン層にとっては、上記の文言は絵空事である。肉体的生存ぎりぎりの再生産しかできない極貧層は仮に異例だとしても、出稼ぎや共働きによって辛うじて〝人並み〟の生活を維持している、いわば潜在的な貧困層ははるかに広く、そういう家庭の子どもは決して〝心身ともに健やかに育てられ〟ている条件にはない。

ここでは一つひとつのデータは省略するほかないが、たとえば「日本子どもを守る会」が出している毎年の『子ども白書』が示してきたとおり、経済の高度成長が長らく続いていた七〇年代初め頃でさえ、児童福祉の実態はきわめて低いものであった。共働きの家庭のための保育所も、身心障害児童のための施設も、欧米や社会主義諸国にくらべて、今でもひどく遅れている。重度の障害者たる母親が障害福祉年金を受けているという理由で、貧しい母子家庭に児童扶養手当の支給を拒否した行政と、それに対する違憲の訴え(堀木訴訟)を冷くつき放した大阪高裁(一九七五年)および最高裁(一九八三年)の判決は、わが国の児童福祉の貧しい状況を象徴的に示した事例といえよう。

住い・遊び場の不足と環境の破壊

ところで、子どもの心身の健康にとって、ある程度の広さをもった住居と遊び場は大事な条件である。育ち盛りの子どもには、自由に飛んだりはねたりして遊べる戸外の空間が必要だし、兄弟や友達ととっ組み合いができるくらいの屋内の部屋も欲しい。ところが大多数の家庭は、そんなゆとりのある住居は持ってはいないし、子どもがのびのびと遊べる広場を有する都市もほとんどない。人口過密の日本の都市は、子どもの遊び場をろくに考えずに無計画に作られており、そこに住む人びとの家は大部分、ヨーロッパ人の眼にはまさに〝うさぎ小屋〟としか映らない、極度に狭い生活空間であって、子どもたちは、家の内でも外でも、手足を伸ばして遊べる場所をほとんど持っていない。そのうえに、周知のとおり、過度の受験勉強に駆りたてられているために、健康と成長に必要な運動の時間も与えられていない。

こういう状態では、ちょっところんだだけでも骨折をするような、ひよわな子どもがたくさんでてくるのも当然である。これまでの日本のおとなたちの都市作りの拙劣さと、土地・住宅政策の貧困などが重なりあって、都市（とくに大都市や工場地帯）に住む子どもたちは、健康のための基礎条件を奪われているといってよい。

しかし、住宅問題などよりも、児童の健康権にずっと直接かつ重大な打撃を与えるのは、公害である。六〇年代の高度成長の波とともに環境汚染が急速度に拡がり、国民生活に多大の損害を及ぼしたことは、周知のとおりである。工場の煤塵や自動車の排気ガスによる空気の汚れ、重化学工業のたれ流しや原発などによる港湾の汚染、生活排水も原因となる河川や湖沼の汚濁、農薬による大地の（ひいては食糧にも及ぶ）汚染など、狭い日本の国土は陸・海・河川・大気の全面にわたって、生活環境は凄まじいほどの荒廃にさらされるに至った。

七〇年代には、公害諸立法の実施などによって多少の歯どめはかかったものの、全国各地にわたる環境破壊の趨勢は依然として続いている。しかも、一九七九年の「日本環境会議」で明らかにされたように、国の公害行政は近年いちじるしく後退し、環境の保全は危機的な状況にあるとさえ見られる。これはまさに、未来に生きる子どもたちに対する許しがたい加害だといわなければならない。

空気や水、とりわけ食糧（水産物・農産物・加工食品）の汚染は、抵抗力の小さい子どもに対して、逃れようのない重大な害悪を加えるものである。水俣病やスモンの被害者たちに見られたとおり、裁判所に訴えて加害者から損害賠償をかちえたところで、失われた生命や健康はもとには戻らない。しかも、大部分の子どもたちが毎日口にしている食糧品の中には、農薬や飼料や保存用薬物を通じて、多種多様の有害物質がふくまれており、日本の子どもの大多数は複合汚染に常時さらされているといっても過言ではない。この状態がつづけば、いま眼に見えて発病しない子どもたちも、将来どこかの時点で大量死しないという保証はないのである。

児童は「よい環境のなかで育てられ」、「疾病と災害からまもられる」という憲章の言葉に反して、おとなたちが発達させてきた現代文明は、彼らにひどい禍害を加えつつある。幼い児童たちはむろんこの状態について何も知らないし、完全に責任のない被害者である。逆にいえば、こうした犯罪的な加害の全責任は、自然環境を破壊し、有害な食品を作ったり売ったりしているおとなたちと、それを許容している国の行政にある。

よい環境の回復と保全は最優先の課題である

責任問題はともかくとして、子どもの健康を確実にむしばんでいる環境の汚染と破壊は、何としても防止しなければならない。一日も早くこれに有効な歯どめを加えないと、破壊された環境はまちがいなく人間に復讐し、その未来を絶望的なものにするだろう。そしてこの直接の被害者は、罪のない子どもたちである。現代文明をここまで引きずってきたおとなは、重大な加害者になりつつある責任を痛感して、環境の回復につとめ、よい環境を次代の人間に渡していかなければならない。

このためには、これまで支配的であった経済優先の考え方を根本的に変えて、人間の生存の基盤である自然＝環境優先の原則を確立していく必要がある。そうでなければ、技術の優位を盲信した人類は、自然＝環境を壊滅させることによって、みずからの生存の可能性を掘りくずし、亡びに向かって突進することになろう。これは、人間が発達させてきた技術文明の、はなはだ皮肉な陥し穴である。前述したとおり、その直接かつ最大の被害者が、親としてその幸せを祈らずにいられない子どもたちであるということは、二重に悲劇的である。

環境汚染の拡がりを見れば、上記の事態はいわば一本道のようにしごく分かりやすいはずである。したがって良い環境の保全、破壊された環境の回復が、将来の子孫はもちろん現存する人間の生存のためにも必須だということも、明らかなはずである。

ところが実際には、生活の利便や身近な利害のために、右の筋道を「総論」として肯定する人びとも、身辺の「各論」部分になると、在来の経済優先の思考に従いがちである。だからたとえば、〝日本の経済や生活の利便のために電力が必要だ〟という主張が出てくると、国民の健康権やそれを支えるための環境権の要請は、二の次にまわされてしまうことになる。豊前環境権訴訟に対する福岡地裁（小倉支部）の判決がその典型であるように、企業にコミットしているわけではないはずの裁判所でさえ、そっけなく環境権を否認するといった事態が続いているのである。これは、長い眼で子孫の幸福を考えることをしないで、目前の利害しか念頭に置かないという、短見的なものの考え方を示すサンプルといえよう。

児童の健康権を守るために、絶対的に必要な良い自然＝環境の保全と回復は、今日の国家および地方行政の最優先の課題たるべきである。前に述べたとおり、現実には環境行政が後退し、経済主義（具体的には企業優先）の論理がまかり通っているという状況は、父母たるおとなの側に大きな責任がある。ここでは、企業人も官僚も、農民や労働者やサラリーマンも、自分たちの生活の利便や所得と引換えに、どれほど大きなものを失いつつあるかを、生活の原点に立ち帰って考え直してみなければならない。そうすれば、子どもの健康権の大量侵害の一つだけでも、生活のバランスのうえでつぐないがたい大きな損失を作り出しつつあることに気づくはずである。現代生活の建直しは、この一点だけから見ても、必須の課題とならざるをえないであろう。

3　子どもの発達権を歪めるもの

子どもの発達権は、右に述べた健康権や環境権を実現するという条件のほか、さらによい文化的・教育的環境を保障することによってはじめて充たされる。人間としての発達は、身体の健康な発達を土台とはするけれども、身体に欠陥や不自由がある場合でも、愛情と教育を通じて、とくに精神や心情の面で可能なかぎり達成されなければならない。「すべての児童は、自然を愛し、科学と芸術を尊ぶように、みちびかれ、また、道徳的心情がつちかわれる」とした児童憲章(五項)の趣旨は、まさに真善美に対する人間的な心情の発達をめざしたものといえよう。そしてそのために児童は、「わるい環境からまもられ」(九項)、「よい環境で育てられる」(同上前文)べきだとされている。

だが、日本の児童は、精神の面でそれほど「よい環境」におかれているだろうか。子どもたちの心は、強さとやさしさの双面をゆたかに育てられるような、いい状態にめぐまれているだろうか。——結論からいえば、家庭・学校・社会のどの面をとっても、わが国の現実は理想とはほど遠い状態にあると見ざるをえない。

教育の機能を喪失した今日の家庭

第一に、今日の家庭の大部分は、教育の機能を大幅に失ってしまった。知育については、情報量がおびただしく増大し、専門的教育を必要とする範囲がふえた今日、多くは学校（あるいはそれを補完する組織）に委任するほかない。その点はむろんやむをえない成行きだとしても、子どもの感情・意思および行動の仕方（しつけ）に関して、家庭が営むべき役割は、依然として大きいといわなければならない。幼児から温いスキンシップを通じて子どもを育てる父母こそが、みずからの子に豊かな感性やつよい意思、よいしつけを与える最良の教師たる資格と責任をもつだろう。他人（ひと）を思いやる心、善悪や美醜に対する基本的な見方、自己を主張できる主体性とわがままを抑制できる理性のバランスのとれた態度、みずからの行動に対する責任感などは、まず家庭で養成されなければならない。

だからこそ児童憲章（二項）も、「すべての児童は、家庭で、正しい愛情と知識と技術をもって育てられ、家庭に恵まれない児童には、これにかわる環境が与えられる」と定めている。この家庭が、教育の機能を今日ほど失ってしまった時代は、おそらくないであろう。

近頃、少年犯罪や自殺が増加し、しかもそれがしだいに低年齢に及ぶ傾向がみられる。名門の高校生の祖母殺し、女子生徒の同級生刺殺、さらには〝一〇歳殺人〟などと呼ばれる小学生による下級生殺しなど、異常な事件が相ついで、おとなたちに衝撃を与えている。生徒が先生をなぐる暴力教室などは、むしろ日常的にみられる光景である。これらのショッキングな出来ごとの原因は、おそらく単一ではなく、現代社会にひそむ複合的な要因が働いていると思われるが、その中のもっとも重要なものとして、家庭における教育の喪失あるいは歪みがあげられるだろう。

敗戦による旧支配体系の崩壊は、個人の自由をはじめ多くの美果をもたらしたが、それと同時に時代の新しい波は、善かれ悪しかれ社会の秩序化に大きな役割を果たしていた家庭共同体をも解体もしくは変質させてしまった。このため、貧困のゆえに子どもの教育をやむなく断念する場合とは違った意味で、家庭教育の退行が生じてくる。いわゆる核家族化の傾向のほか、つよい経済志向の反映として父親が企業その他の職場〝共同体〟に――〝猛烈社員〟であったり、〝社用族〟であったり、形態はさまざまだが――のめり込み、家庭内教育を放棄する例が圧倒的にふえたことは、その顕著な一現象である。

子どもから精神の栄養を奪うもの

他方で〝教育〟を一手に委ねられた母親の側では(極貧家庭のケースはひとまず別として)、少し荒っぽい分類をあえてするならば、家事の電化などでふえた余暇時間を使うのに、二つのタイプがある。一つは、同じく経済志向で〝暮しを良くする〟ためにパートタイマーとして〝働く〟などによって子どもをかぎっ子にするものと、もう一つは、子どもの〝成績〟をあげて〝良い学校〟に入れるために全力投球する〝猛烈教育ママ〟である。

このどっちの場合も、子どもの美的感覚や温かい心情、心身の調和のとれた健康、エゴをコントロールする理性などを育てる配慮に乏しくなる、という点では共通の欠陥をもつことになる。子どもに対する一方はひどい放任と他方は行き過ぎた干渉という相違はあるが、どちらも子どもの心情や精神の発達に対して、残酷な仕打ちをする結果になる。経済上どうしてもやむなく共働きをするという場合は別として、右のような二つのタイプは、子どもに物的な豊かさは与えても、貧しい心情や歪んだ精神の持ち主を養成することに手を貸すという結果になろう。夫婦間に不幸な軋轢のある家庭に〝不良〟の少年少女が生ずるといった在来型のケースのほかに、経済上は豊かで外見はあまり問題のなさそうな家庭から犯罪をおかす子どもが生じつつあるという事実は、家庭教育の喪失を物語っているといえよう。

人間の教育という点で、家庭に劣らず、今日の学校が大きな欠陥を抱えていることは、後でも学習権の観点から再考するとおりである。日本の学校が知育――それも受験用の知識つめこみ――に偏して、体育も徳育もあまり顧みられないのは、教育本来の目的からすれば、まったく異常というほかない状態である。第1章で詳しく述べたように、テスト教育の連続の中で、子どもたちの感性は萎縮し、点数主義の瀰漫(びまん)によって、児童間にさえ誤った差別観や競争心が生まれ、のびのびと友情を育てる雰囲気は奪い去られている。

かつて新聞の投書欄に、藤村の美しい初恋の詩を授業の初めから終りまで文法的に解体するだけしかしない教師の教えぶりが、参観していた親たちをあきれさせたという話が出ていたが、総じて受験教育はそのような技術に堕して、子どもの魂の発達を阻害する反教育になるであろう。家庭でも学校でも、面白くもないテスト訓練ばかりやらされる子どもたちが、精神的飢餓感に陥り、情緒の不安定に悩まされるのも当然である。とくにテスト競争に不適応の子どもが、フラストレーションのために突飛な暴走をすることも、家庭とともに学校や社会の側にも根本の原因があるといわなければならない。

情報化社会の歪みとあおり

子どもの発達権を歪める現代社会の諸要因は複雑かつ多様だが、その中からとくに一つだけ、「情報化」時代を代表する映像メディアの問題をとりあげてみる。第二次大戦後の生活の凄まじいほどの変化のなかでも、各家庭に入りこんだテレビの影響の大きさは、おとなたちの想像をはるかに超えるものがあろう。現代の子どもたちは、生まれ落ちたときからテレビと共在しているから、なおさらのことその自覚は持っていないけれども、テレビが生活の一部になっているだけに、連日の画面は無意識の間に子どもの頭脳の回路づけに測り知れないほどの役割を果たしていると思われる。

かぎっ子はもちろん、親との会話を持たなくなった子どもたちは、その分だけテレビの画面から一方的に送られてくる雑多な情報を受けて、柔らかな頭脳の中に無秩序にそれらをたき込まれる。それらのなかには、かつての「鉄腕アトム」のように、やさしい心情を育てる秀れた劇画などもあるけれども、一般にはむしろコマーシャリズムがあおり立てる愚劣なドタバタ劇とか、血生臭い殺人場面、濃厚なベッド・シーンなどが圧倒的に多く、しかもスイッチひとつでそれらが無作法に居間や茶の間に入ってくるために、昔ならばふつう子どもにふれるはずのない異常情報が、子どもたちを日常的に包み込むに至っている。

身辺に氾濫するこれらの非日常的情報の〝日常化〟によって、無防備な子どもたちが、残酷な人殺しや暴行をあたりまえの出来ごとのように思いこんでも不思議ではない。のみならず、テレビおよび(今日では青年や成人層にまで及んでいる)〝漫画雑誌〟の劇画類は、コトバ＝概念による思想や心情の伝達を省いて動画化することによって、人びとの論理的思考の訓練をはばんで、短絡的な行動に走らせる効果をもつ。最近の青少年犯罪の残酷さ、行為者の罪の意識の稀薄さ、犯罪の動機の愚劣なまでの軽薄さ——わずかな遊興費を得るためとか、相手が気にいらないからとかだけで、簡単に殺人に走るような類(たぐい)——の傾向には、テレビなどの影響がかなり明瞭に跡づけられるように思われる。

テレビを不当に悪者扱いをすることは、むろん単純すぎる短絡的な見方に堕するだろうが、子どもの精神の発達を歪める効果が大きい面のあることは否定しえない。児童の健全な発達権を保護するために、電波メディアの当事者たちも、家庭の父母も、もっと注意ぶかい配慮を払うべきであろう。

右のようなテレビやおとな向けの劇画、あるいは映画(およびその看板広告)、その他の新聞・週刊誌などのメディアのなかに、子どもの健やかな精神の発達を阻害するものが非常に多いにもかかわらず、日本の社会はこれらに対して無神経にすぎるように思われる。いうまでもなく、〃青少年に有害〃というレッテルで、それらのメディアを国家的に統制することは許されない。憲法の言論の自由の原則が、そうした理由で侵害される禍害は、放任の場合よりもいっそう大きいからである。したがって、無思慮なコマーシャリズムを流す劣悪な情報から子どもを守るためには、さしあたり消極的には父母たちがそれらのメディアを遠ざけるという家庭内の措置と、積極的には社会の世論の批判を通じて情報の流し手に自主的な規制をおこなわしめるという方法ぐらいしかないであろう。

この双方とも、子どもの発達をわるい環境から守るための親の綿密な配慮と、おとなたち自身の良識が必要である。情報流通の市場で悪貨が良貨を駆逐するというグレシャムの〃法則〃がおこなわれているとすれば、それはまぎれもなくおとなの側の責任である。子どもの発達権を考える機会に、このさい本格的に現代の情報市場のあり方を検討して、商業主義に毒された面の改善について考えてみる必要があると思われる。

4 子どもの学習権を損うもの

受験競争による学習権の破壊

子どもの学習する権利——それよりもやや狭くかつ消極的に表現すれば「教育を受ける権利」——は、発達権のもっとも大切な一部でもあり、またその手段たる基本権でもあるといえるが、これもまた、きわめて問題的な状況にある。憲法や教育基本法が保障するこの権利は、ほんとうに「個人の尊厳を重んじ、真理と平和を希求する人間の育成を期する」(教基法前文)ように実現されているとはいえない。就学率が高く、逆に文盲率がいちじるしく低いわが国では、「教育の機会均等」という法の理念は、「南」の諸国とくらべれば、たしかに相当に実現されているということができる。

しかし、母子家庭や父子家庭の子どもたちが、先に見てきたような家庭内の「教育」の手抜きにとどまらず、多くは貧困のために、事実上大きな差別を受けていることは明らかである。受験競争が激甚な今日、家庭教師をやとうことはもちろん〝学習塾〟へいく可能性もない貧しい家の児童は、よほど特別の才能がないかぎり、早くからとり残され、〝成績の悪い子〟として脱落を余儀なくされてしまう。〝良い学校〟で〝育英(!?)資金〟を受ける以前の段階で、不当に才能の芽をつみとられる者も少なくないであろう。教育の実質的な機会の均等は、この点だけとっても、はなはだ不十分にしか保障されていないといわねばならない。

もっとも、今日の激しい受験戦争においては、それに巻き込まれているあらゆる児童・青少年たちが、——右のような差別とはまったく別な意味で——甚大な被害をこうむっている。塾や予備校に通わされる子が、幸せになる保証はむろんないし、逆にそういう〝勉強〟が、子どもをスポイルする可能性も少なくないのである。テスト漬けのトレーニングで、子どもの真の学習権をゆがめ損う事態は、ほとんど全体に及んでいるといっていい。前にもふれたとおり、子女を〝良い学校〟に押し込むためのテスト訓練は、子どもたちから、自然や文学・芸術の美しさをゆっくりと味わう余裕を奪い、たとえば歴史の意味や真実を探究することよりも、テスト用に役立つだけの大量な断片的知識を暗記させることに全力をあげさせるようにしむける。

これでは、学習は脳の記憶を司る部分だけの練磨に終わり、愚にもつかない知識をいっぱいつめこむ代償として、自然界の驚異に迫ろうとする探究心も、文芸の美を味わう感性も、綜合的な判断能力も、またとくに積極的な創造の意欲や能力も、真の学習の機会を失って、むしろ磨滅させられることになろう。そもそもこういうテスト偏重の勉強が楽しいわけがなく、このためあたら素晴らしい伸張力や可能性に富んだ青少年時代もまったくつまらないものになり、すべての学校も——よりよい上級校とよりよい就職先に進むための——過渡的な手段にすぎなくなってしまう。こういう状態では、真の教育も学習も成りたちえない。

このように、豊かな人間性を疎外する「教育」がはびこっているところでは、子どもたちの幸福も日本社会の将来も期待できないであろう。過当な競争場裡で敗れた多数の児童は、みずからの将来に絶望し、中には不当な評価を与える社会につよい不満を抱いて、反抗や非行に走るものも出てこよう。

競争の勝利者も、勝ち抜くために支払う多くの犠牲——健康や友情や豊かな人間性などの喪失——を考えれば、決して幸せではありえない。それにもかかわらず、依然として激甚な受験競争が続いているのは、主としては〝学歴〟主義や学校格差観をあおってきたおとなたち——親だけでなく教師をも含む——の責任に帰するといえよう。

子どもたちの幸せや将来の社会のことを考えるならば、この状況は何とかして変えなければならない。よりよい生活をめざす人びとの上昇志向もそこから生ずる競争も、社会を前進させるバネのようなものだから、それじたいとしては無くすわけにはいかないが、それらの過熱から生ずるさまざまな弊害や人間疎外を防ぐ必要がある（第1章参照）。このためには、親たる国民や教師が、児童の多種多様の能力を受験課目だけで測定できると考える誤った〝能力〟観や、社会的な栄達を子ども（および自分）の幸せだと思いこんできた〝出世〟観を、根本から考え直して、彼らの学習権の意味を再検討しなければならない。

甘えさせによる欠陥人間の育成

子どもの学習権をスポイルするものとして、親たち（とくに〝教育ママ〟）のもう一つの間違った観念と育て方にも、ここでふれておく必要があるだろう。それは、子どもを〝安楽〟にまた（物的に）〝豊か〟にさせることが子どもの幸せだと思いこんで、無目的に安楽と金を与えたりして、子どもの肉体をだらけさせ、精神を甘えさせる育て方である。

前にも述べたとおり、日本の子どもたちは一般に、物質生活の面では相当に豊かであるうえ、右のような甘やかしの中で育てられる結果、たとえば電車の中で丈夫そうな青年が老人に席を譲る気もなく脚を広げてすわり込んでいるというふうに、心の貧しい人間になるものが多い。〃教育ママ〃たちの多くは、一方で過酷な受験地獄に子どもを放り込んで、余計な苦痛を平気で課しているのに、他方では（そのつぐないもあって？）子どもをスポイルするほどに〃甘え〃させるという、奇妙な矛盾をおかしている。小さい時からの過保護で、フトンの上げ下げから靴のひもまで母親まかせといった悪い習慣を身につけさせられた子どもは、身辺の仕末も自分でできず、みずからのわがままを抑制する意思も弱く、感情の面でも肉体の面でも欠陥だらけの人間になりやすい。

人間の健康な発達には、適当な「遊び」と同時に、「労働」の苦痛と愉しみを味わう経験が必要である。ところが現代の（とくに都市での）生活は、前述のとおり、子どもたちから遊びの空間と時間を奪い去ると同時に、働くことの苦しみと喜びを知る機会をも失わせつつある。いまの子どもの多くは、親の仕事の手伝いはもちろん、昔ならば当然の仕事とされていた水汲みや庭掃き、部屋の掃除そのほかの家事を手伝うことさえさせられない。それらの家事労働の大部分が電化製品で簡単におこなわれるという、文明生活のおかげでもあるが、親の甘えさせがこれに輪をかけて、労働知らずの子どもを大量に作り出しているのである。額に汗してパンを得ることを知らない青少年は、金や食物のありがたさも、また他人の苦労も、理解できなくなるだろう。

労働の意味や大切さを肌身で知る機会がないということは、一見〃幸せ〃そうに見えて、現代日本の子どもの大きな不幸というべきではないだろうか。自動機械でインスタント食品を買い、掃除はおろか歯みがきまで電動ブラシにさせるといった状態は、生活とともに人間じたいをも機械化し、精神の創造性をも失わしめるであろう。デューイをはじめ、真剣に教育を考えてきた人びとが一様に、「有用な労働」の学習を重視してきたのは、それがたんに実用上必要だというにとどまらず、人間としての成長に欠くことのできない意味があると認められるからである。機械化や都市生活が奪いつつある労働の学習を児童たちがおこないうるよう、現代の親と教師は真剣に考えなければならないとおもう。

教育の権力統制と選別＝差別の体系

ところで、子どもの学習権に歪みを与える力は、もう一つ国家の文教行政の側からも加わる。国（つまりは国政の指導層や国の機関）が、教育につよい関心をもつことは当然であるが、国家権力が直接に教育を統制することになると、教育の内容は権力者の利益やイデオロギーによって規定され、「真理と正義を愛し、……自主的精神に充ちた」（教育基本法一条）人間を育てる教育は、望みえなくなろう。いつの時代でも、権力者にとって便宜な人間像は、体制イデオロギーを信奉し、彼らのいうがままに動く〝忠誠〟な人間だからである。

専制的な権力の欲するそのような〝人間づくり〟のための教育は、少なくも個性的・自律的・創造的な人間を育てようとする民主教育の理念に反する。戦後のわが国の文部行政は、教育基本法の示している民主教育の原理に沿って、「教育の自由」を認めるところから再出発したけれども、五〇年代以後しだいに、国による強力な統制の方向に変わってきた。その結果、今日の教育は、教科書の内容に対する統制をはじめ、学校行政を通じて、政治意思のつよい干渉を受けるようになっている。

こういう状況は、受験競争による選別・差別とともに、教育を荒廃させ、児童の学習権を損うものとして、とくに教職員（日教組）の側からきびしく批判されてきた。ここでは、教育権をめぐる政治的かつ理念的な対立――すなわち、教育権が国にあるとする国（文部省）と、国民にあるとする民主的な諸勢力との対立――に立ち入ることはしないが、つまるところ児童の学習権をどう考えるかに立ちもどって根本の解決が計られなければならないであろう（この問題については、第II部の各章で詳しく述べられるので、それらを見ていただきたい）。

そうだとすれば、行政を介して政党派的イデオロギーが、強力に教育の現場に入り込むような今日の状況は、やはり教育基本法の精神に沿って改められなければならない。教育の内容や課程に政治権力が介入する事態は、児童の学習権を侵害せずにはすまないからである。国家は、子どもの学習権を保障する条件整備に全力をそそぐと同時に、教育の内容や方法や課程には最大限の「教育の自由」を認めることが肝要であろう。杉本判決によって確認されたこういう路線は、教育基本法が示してきた民主教育の本来の筋道にほかならない。

5　子どもの福祉と平和的生存権

平和に生きる権利はすべての前提

健康権およびその根拠となる生命への権利は、前に述べたとおり、人びとの健康や生命を脅かす公害などに対して、良い環境を守るために環境権を換び起こした。同じように、途方もない軍事上の破壊力をかかえこんだ現代では、児童の生命や福祉のために、格別の意味で平和的生存権の保障が必須になってくる。

古来どこの国でも、戦火の下で最大の被害をこうむるのは、弱者である女・子どもたちであった。核兵器をはじめ大量殺戮の手段の発達した今日では、第一線よりもむしろ、昔は〝銃後〟と呼ばれた一般国民の生活の方が、直接の打撃を受けやすくなっているから、事態はいっそう深刻である。大規模な現代戦争はいうまでもないことだが、小さな内戦や動乱の下でも、児童の福祉は成り立たない。アジア・中近東・アフリカの各地で、戦火に逃げまどう大量の難民が出ているが、着のみ着のままで食べ物もなく飢えにさらされている子どもたちは、学習権どころか生命権さえも保障されない状態にある。これらを見るにつけても、平和の大切さがしみじみと実感される。

太平洋戦争で似た経験を味わった日本が、その憲法の前文で、いわゆる平和的生存権を明記したのも、「核の時代」にふさわしい宣言であった。日本国民はそこで、「全世界の国民が、ひとしく恐怖と欠乏から免かれ、平和のうちに生存する権利を有することを確認する」と述べている。この平和的生存権は、平和憲法のたんなる謳(うた)い文句ではなくて、各国がその実現に全力をつくすべき高度に現実的な意義を帯びた政治の理念である。とりわけ第九条の戦争放棄条項を有するわが国では、いっそう具体的な実定法上の理念として、政府を義務づけるものといえよう。そしてそれは、むろんおとなにとっても大切な基本権にちがいないけれども、現代の子どもの福祉を考える場合、絶対に欠くことのできない大前提となる。

わが国において平和的生存権が、他のどこの国にもまして重要な意味をもつのは、一つには憲法の基本原理として絶対平和主義の方針を打ち出していることにもよるが、それだけではなく、日本の現実的な存立条件にも基づいている。その理由は簡単・明瞭である。すなわち、第二次大戦後の軍事技術の進歩が、日本のような地政学上の条件にある国の、有効な軍事的防衛をほとんど不可能にしてしまったからである。資源に乏しい狭小な国土に過剰な人口をかかえ、しかも巨大な工場群と都市部を海岸線に沿って密集させているこの国で、大がかりな現代戦争をおこなって多数の国民を生き残らせることは、期待できない。日本の国土を包む戦争だけでなく、隣の軍事大国の間の激突も、わが国に甚大な影響を及ぼすから、その防止に最善の努力をつくし、〝平和のうちに生存する〟条件を不断に確保しなければならない。日本がただ戦争に巻き込まれないという消極的な態度にとどまらず、関係諸国の間に平和を作り出すような能動的な平和主義が、日本の安全と子どもたちの未来を守る唯一の方策だといえよう。

何よりも平和主義の復活・強化を

平和的生存権の保障は、たんに「平和」の呪文を唱えているだけでは実現されえない。あらゆる諸外国との不断の友好関係を結び、積極的に平和の条件を拡大再生産していくような外交上の努力が必要である。この点で、今日の世界がのめり込んでいる軍備競争をやめさせ、「核」をはじめとする大量破壊の軍備を縮小し、将来は完全な撤廃の方向に進めていく運動が、とりわけ日本に望まれる。ヒロシマ・ナガサキの悲惨な体験を受けたわが国は、こうした軍縮運動をリードする道徳的資格を本来持っていたはずであり、平和憲法に非武装の原理を掲げた国としていっそうそのイニシアティブをとりうる立場にあったはずである。

残念なことに日本の現実は、日米安保条約によって東西対立の中にみずからを編入し、憲法第九条に反する軍備を進める途をとったため、右のような平和主義運動の先頭に立つ意欲も能力も大きく減退せしめられることになった。実際問題としてこの現実――とくに既成事実としての自衛隊と安保条約――を根本的に変更(解消)することは至難である。しかし、所与の条件のなかで、平和主義を強化し、その方向に国の政治を引き戻していくことは、可能でもあり、またぜひとも必要である。

右の憲法的路線を確認するとすれば、子どもたちの福祉や未来のありようにかかわる問題として、最小限度次の二点に触れておかなばならない。その一つは、日本がふたたび軍国化の道を歩みはじめているのではないか、という現状に関する問題であり、他の一つは、平和教育に関する問題である(この点については、第3章を参照)。

第一点について、現状はかなり憂慮すべき状態にある。無軍備を表明した憲法第九条の下で、すでに世界有数の軍備(英仏などについで世界第八位)をもち、しかもますます軍事強化に力をいれているからである。もっとも、だからといって、日本が今すぐにも軍国化するというわけではない。国民の戦争体験は薄れたといっても、そのような冒険主義的な試みを許すほど、日本国民は愚昧ではないだろう。しかし、元号法制がほとんど無抵抗に成立したり、いわゆる「有事立法」推進の動きが堂々とおこなわれ出したりする状態をみると、戦前の〝いつか来た道〟を辿っているのではないか、という危惧の念を抑えることはできなくなる。

わけても「有事立法」の動きは、要するに戦前の戒厳令や国民総動員法の現代版を作ろうとする企てであるから、戦争のための統制と動員を目ざす準備であることは疑いない。しかも、〝非常事態のため〟という名で作られるこういう緊急権立法は、悪用や濫用の危険が大きく、一歩を誤るとその発動を通じて、いっきに軍事組織が支配する非立憲国家(つまりは軍事国家)に転落するということになりやすい。そうなれば、立憲法治主義も国民の人権も、ひいては子どもの福祉も、緊急権のローラーでひきつぶされてしまうであろう。民主主義のためにも、子どもたちの未来のためにも、国民はそうした事態に落ちこまないように、危険な道を走り出した今日の政治に歯どめをかけるよう積極的に働きかけていく必要がある。

平和教育の目標と実践

もう一つの問題は、もっと日常的な教育に直結した事柄である。日本が平和国家として自立していくためには、子どもの時から積極的な平和主義教育をおこなって、一人びとりが平和への強烈な意欲を持つ人間に育てられなければならない。そういう人間の理念像は、不正義や抑圧に屈しないつよさとともに、すべての〝隣人〟や自然に対するやさしさをもち、困難にたえて理想の実現に努力できる人間、と要約できるだろうか。そうだとすれば、平和教育は、教育一般の理想と別段に異なるものではない。ただ、人間としてのつよさとやさしさが、身辺の閉じた狭い範囲（家族や知友など）にとどまるのでなく、世界のどこにも開かれたものであることが、求められる。世界平和という現代の課題を担いうる子どもたちを育てることは、明日のよき日本のためにも、最大の目標となるだろう。

右のような教育の前提として、まず親や教師が真剣に平和学習をおこない、平和を維持し・推進するために、主体的な人間として何事かを為しうる人間になる必要がある。そしておそらく、そういう国民が教育基本法の示す目的と方法に応じて、家庭や学校における子どもたちの教育に協力しあうようになったとき、日本は、軍備なしに自らを守れる真の平和国家、ある意味でもっとも強い、またもっとも安定した国家になることができるであろう。このような強烈な平和志向の国民は、教育基本法第一条にいうように、「真理と正義を愛し……勤労と責任を重んじ、自主的精神に充ちた」国民であり、不正義な侵略や野蛮な支配には屈しない魂をもつはずだからである。こういう国民はまた、創造的な文化や平和運動を通じて世界に貢献でき、それを通じて他民族から尊敬される国民になりうるであろう。このことじたいが、日本の平和と安全を担保するゆえんとなる。

子どもの平和教育は、民主教育と表裏を成して、右のような意味で真に安定した良い国家を作る道でもある。児童憲章がその結びで、すべての児童は「よい国民として人類の平和と文化に貢献するように、みちびかれる」と規定したのも、平和憲法および教育基本法の示す方向と合致する。――現実では、しかし、これらの基本的指示は、家庭でも学校でも社会でもあまり果たされてはいない。とくに学校教育の場で、前述の受験競争に応ずるテスト体制と、平和主義にははなはだ冷淡としかいえない行政的指導とのために、平和教育が怠られていることは、きわめて問題だといわざるをえない。日本の児童の教育環境は、この点でも深刻な反省を要する状態にあると思われる。

むすびのひとこと

子どもたちの真の福祉にとって必須の基本権とその実態を考えてみるにつけて、われわれの目前には現代日本の問題状況があらためて浮彫りにされてくる。公害による環境の悪化、都市化による人間疎外の進行、情報化社会の負の影響の増大、過当な受験競争の圧力、権力的な文教行政による教育の歪み、緊急権体制化の脅威など、どれ一つをとってみても、現代技術社会の病理と問題性を色濃く示している。子どもの未来のうえにのしかかるこれらの重圧は、くりかえし述べてきたとおり、今日のおとなたちの無反省な生活様式や短見的な政策から生じたものであり、そのいっさいの責めはあげてわれわれおとなにある。子どもたちの健康権・発達権などを阻害するこれら不当な重圧を、少しずつでも取り除いて、かれらの健やかな発達と福祉を保障することは、おとなたる国民の重大な責任というべきであろう。

くりかえし述べてきたとおり、これはたいへんな仕事である。上記の諸問題との取組みは、技術文明によりかかっているわれわれの生活の仕方そのものの方向変換を必要とすることにならざるをえないからである。現代人がいま享受している生活条件を低めたり、あたりまえになっている日常生活を変えたりすることじたい、そう容易に出来るものではない。まして、加速度をつけて進んでいる技術の進歩や、組織として自己運動をはじめている軍＝産複合体のような動きをチェックすることは、困難きわまる難事業である。

しかし、そうした課題を一歩ずつでも解決していかないことには、これから先の人類の未来が開けないとしたら、何としても真っ向から取り組むほかないのではなかろうか。この課題を果たすためにわれわれは、現代文明の基本状況を見わたす視点に立って、そこでの人間疎外を克服するための学習と協同作業を、至るところでくりひろげなければならない。

第3章　平和と教育の課題

I　現代の平和と教育について

〔まえおき〕　本章は、主題に関しておこなった二つの講演の記録から成る。Iは、教育科学研究会第二一回全国大会（一九八二年八月一〇日）での記念講演の原稿である。

1　新しい世界問題の噴出

現代人類は、未曽有の大変革に当面している

人類はいま、ホモ・サピエンスとしての生活をはじめてから、かつてない大きな変革と危機の渦流の中に立たされております。私たちが生きている「二〇世紀」という時代の特徴について、たとえばA・シーグフリートをはじめ多くの人びとが、「行政の時代」、「広告の時代」、「スピードの時代」、その他「核」や「コンピューター」の時代など、いろいろな呼び方で語っていますが、それらをも含めて、根本的な変化がわれわれの身辺に生じていることは、疑いのない事実であります。この変化は、直接には産業革命を発端とする技術革新を中心としているわけですが、ここ数十年の間の加速度的な変化は、現代とそれ以前とを画然と分かつほどの意味をもっております。早い話、現代の人類がこの半世紀ほどの間に消費したエネルギーは、四〇〇万年以上にわたるそれまでの人類の使った総エネルギーを超えると推計されています。エネルギー消費量という一点だけでも、たんなる量の問題にとどまらない質的な変化が生じていることは、容易に理解されましょう。

今日の地球をおおう人類共通の問題のなかから、教育に直接関係するものをとり出しても、少なくも次のような諸点があげられます。それらの徴候はいずれも、前世紀頃から少しずつあらわになり出してきていますが、今日では異常な進行によって、世界的問題となっているものです。

第一に、現代は情報革命の時代といわれるように、情報の量とスピードは異常に増大し、それによって人間の生活は、まさに質的変化を遂げつつあります。人びとが記憶や処理しなければならない情報の増加は、教育の場ではカリキュラムの枠を急速に拡げ、小学校から大学院に至るまで、学生・生徒は過密ダイヤに悩まされ、すでに大量の不適応者が生みだされています。さらにテレビやコンピューターの普及が、旧来の教育では想像もしえなかったような変化を、学校にも家庭にも生じつつあります。電波とくに映像を通じての情報の統制がおこなわれれば、たとえば放送大学なども、人間管理のための教育の手段に使われるかもしれません。A・トフラーのいう「第三の波」は、何よりもこうした面で現代教育に巨大な衝撃を与えているといえましょう。この情報革命の波をしっかりと見すえて、これをどう受けとめていくか、教育の側からとりくむべき問題が、先行きますます出てくると思われます。

第二に、現代は、大量消費と大量生産の結果、グローバルな規模で環境破壊を進行させています。「北」の国々における汚染、「南」の諸国に拡がる砂漠化など、人類はみずからの手で地球の環境をますます悪化させております。その影響は、直接に子どもたちの健康を損うほか、教育環境を低劣化させることによって、児童の健全な発達を歪めるものとなっています。とくに都市化にともなう緑や遊び場の減少、種々のストレスや誘惑の増大、頽廃した雰囲気、狭隘な住宅など、子どもの発達にとって好ましからぬ環境が増大する一方であることは、今日の教育に重い枷（かせ）をはめるものとなっております。今日の教育は、住宅・交通・衛生などにかかわる複雑な都市問題や環境問題と無関係に、知識の伝達だけを考えているわけには参りません。

第三に、現代はいちじるしい機械化が進んでおります。工場でも、オフィスでも、交通・通信・医療の分野はもちろん、家庭の内にさえ、多数の機械が入りこみ、多大な便宜を私たちに与えています。しかし機械の利便と引きかえに、人間が失っている無形の価値は、環境汚染などの問題などを別にしても、非常に大きくなっているように思われます。たとえば、いろいろな工場で盛んに用いられはじめているロボットが、人間の労働の〝苦痛〟をとりのぞく反面で、私たちから〝働く権利〟や労働の〝喜び〟をも奪い去るという他の一面を見逃すことはできません。

教育についていえば、子どもが小さいときから、家事の手伝いをさせられることによって、働くことの辛さや大切さを身体で教えられるというのに、そういうチャンスがなくなりつつあることは、――日本の場合、親の甘えさせなども加わって――かなり重要な意味をもっているといえるでしょう。家事の手伝いはおろか、電動鉛筆削りなどの普及のため、ナイフでエンピツを削るすべさえ知らない子どもが多くなっているとか、車やエレベーターなどの普及のため、青少年でさえ足で歩くことが少ないことなども、日常的に健全な人間をスポイルしている一例であります。

人間社会じたいが、空前の人間疎外の危機を作り出している

第四に、現代は管理化の時代ともいわれるように、行政官僚制のみでなく、社会全般に〝合理〟的な統制・管理が進められております。教育そのものも、国家による統制を受け、人間はしだいに一律に管理され、一定の鋳型にはめられた存在になりつつあります。国家のみならず、企業もまた自己に忠実で〝有能〟な働き手を得るために、それに適応した教育をみずからもおこない、学校にも求めています。民間の情報機関もまた権力の指導や要望に応じ、情報による〝管理〟に協力する傾向にありますから、総じて今日では、真に個性ある人間よりも、協調性や代替性のある平均人の造形に向かっているといってもよろしいでしょう。猛烈な競争のなかで豊かな感性や創造性を摩滅させているわが国の受験体制も、この傾向に拍車をかけています。

このようにして人間の部分品化が進められるなかで、創造的な文化の担い手が生まれるのかどうか、また各人がほんとうの〝生きがい〟を感じるような社会をつくれるかどうか、まったく悲観的な状況というほかありません。こうした傾向に沿ったり、それに拍車をかけたりするような教育は、教育といえるのかどうか、まさに根本からの反省を求められている点であります。

第五に、これまでの技術文明の発達の反面で、旧来の〝共同体〟とその規範の崩壊しつつあることも、周知のとおりであります。この現象は一つには、ずっと前にF・テンニースがいった「ゲマインシャフト(共同体)からゲゼルシャフト(利益社会)へ」という、大きな推移としてとらえられます。それはさらに、たんに必然の発展であるだけでなく、積極的に評価されるべき進歩だとみる考え方もありました。また、その変化の質的な意味からすれば、A・トフラーのいわゆる「第三の波」による旧規範体系の崩壊の現象とみる方が、より的確かもしれません。

しかし、それらの見方の当否は別として、これまでの価値観とそれに基づく行動の枠組が、こんなにも大きく揺るがされている時代には、教育もまた、根本からその目的やあり方を問い直さねばならなくなっています。この問い直しは当然に、技術文明や歴史における「進歩」の意味や人間じたいの生存の意義に対する根源的な問いを含んでいるはずであります。今日の教育はこうした点で、道徳・宗教・科学・技術および国家・社会の全般にわたるトータルな意味の理解を、もう一度総ざらいするという、恐ろしくむずかしい課題を負わされているということになりましょう。

さて、最後に以上の諸点と関連し、またそれらのいずれにも劣らず重大な問題は、「核の時代」に進行する共滅戦争の脅威であります。人類が発達させたメガ・デスの軍事技術と、おぞましい「兵器文化」(R・ラップ)の進展の中で、どのように平和を確保するかは、現代人類の当面する最重要の課題になっております。この課題に応えて平和への有効な道を切り拓くことに失敗すれば、人類の未来はないのですから、「核」やBC(生物=化学)兵器の廃棄を始めとする兵器文明の克服は、文字どおり最優先さるべき問題であります。

結論からいえば、その解決のためのもっとも(おそらく唯一の)有効な方法は、平和教育(および運動)に期待するほかないでしょう。核エネルギーの扉を開き、猛烈なスピードで技術革新を進めている現代の人類は、文字どおり空前の危機の前で、みずから撒いた種を、新しい自己教育によって刈りとらなければならなくなっているわけです。――以下、主としてこの問題を中心にして、教育と現代文明の危機について考えてみることに致します。

2　課題の困難とその解決への基本視座

世界問題の発生源は人間じたいである

本論に入る前に、上述の諸問題に共通する性格や意味について、若干の考察を加えておきたいと思います。それらはバラバラに、たまたまこの二〇世紀に集中的に現われてきたものではなく、相互に関連しあって、現代を特徴づけております。

それらに共通するもっとも基本的な特徴は、そのいずれもが、人間みずからが生みだした創造的な技術と生活様式の所産であるということです。コンピューターなどの情報の機器も、それらを使った情報の蓄積や処理や利用も、超LSIなどを作り出した技術競争を通じて、この時期に飛躍的に進歩しました。エネルギー問題や環境の破壊は、人口の増加と大量消費＝生産から必然に生じた結果にほかなりません。ロボットをはじめ、ジェット機や自動車、クーラーやマイコン、電機家庭用品などもすべて、生活の利便や利潤を追求してきた人間の営みの所産であり、それらが生み出す諸々の社会的諸問題も、人間の合理的な計算や適応の結果であります。

とりわけ大量殺戮（さつりく）の新兵器やそれらを使う戦争は、国益を追求する諸国家間の競争を通じて、この世紀には未曽有の発達をとげましたが、それこそ人間の〝因果〟な適応能力と競争心が、人類全体をのっぴきならない袋小路に追いこみつつある悲劇的な事象であります。

核兵器や宇宙ミサイルなどのハードの軍事テクノロジーのみならず、それらを開発している軍や企業や研究所、さらには国家そのものも、人間の適応能力が作り出した組織です。これらがそれぞれに最適効果を求めて〝有能〟に活動すればするほど、種属全体としての人類は、ますます危機的状況に追いこまれていく――こういうダイナミックスが、現在の地球をおおって、巨大な人間疎外の現実を推進しているわけです。そしてそれが、ほかならぬ人間の欲望と能力によって、とめどもなく押し進められているところに、根本の問題があるのだと申せましょう。いわば世界問題群は、人間の「身から出た錆」にほかならないわけです。

加速度のついた進歩の恐ろしさ

これらの問題群の噴出と関連して、私たちが注目しておかなければならないのは、技術文明の進歩に加速度がついて、コントロールしがたくなっていることであります。

人類の〝技術〟は、石器時代までは非常にゆっくりしたテンポで進んできましたが、この一万年ぐらいの「文明」時代に入ってから、発展のスピードはしだいに顕著になってきました。とくに産業革命以後の技術文明の進歩は、目をみはるものがあります。ここ一、二世紀における技術の急角度の上昇は、たとえばワットの蒸気機関から今日のジェットやロケットへの発展、モールスやベルの通信機械から、衛星中継で各家庭のテレビに世界中のニュースを即時に受信できるまでになった進歩にみられるとおり、人びとの想像を超えるほどのスピードでした。なかでも軍事テクノロジーの発展は、核ミサイルや電子兵器を中心として、この半世紀足らずの間に空前の大量破壊の能力を持たせ、しかも日進月歩の勢いはやむところを知らない有様です。鉄砲の発明は、戦争の革命をもたらしましたが、今世期初頭の機関銃の発明までざっと三〇〇年もかかりました。ところがその後は、第一次大戦に飛行機が用いられ、第二次大戦にはプロペラ機からジェット機に進み、ロケットまで実用化され、さらに原爆まで作られるに至りました。それから今日まで、ミサイル、水爆、原子力潜水艦、そして宇宙兵器と、三〇年そこそこの間に、かつてのSFの想像した兵器はほとんど実用化され、これから何がとび出すのか分からない、という状態です。こういう兵器文明の発達にみられる加速度の恐ろしさは、人類共滅の可能性をますます深めることと、その種の「進歩」を人間の手でコントロールするすべがなくなるかもしれないことにあります。

以上の二つの点、すなわち技術文明の発達とそのさまざまの結果が、人間の創造力や適応力によって生じたということと、それが加速化されて歯どめがきかなくなりかかっているということは、問題の解決の至難さを示しております。兵器の進歩や大量生産、エネルギーの大量消費や環境の破壊が、人類全体にとって実に馬鹿げた自己矛盾だということは、多くの人びとに分かっているはずです。ところが、〝分かっていながら、やめられない〟という、二重のパラドックスが現に進行中であるのは、上述の加速化の現象とそれを進めている人間の合理的能力と欲望にあるといってよろしいでしょう。人間を滅ぼすような〝錆〟を噴出させている原因がほかでもない人間という存在じたいであるということは、まことに仕末のわるい因果であります。

この「進歩」をやめさせることは至難である

うえのような指摘が間違っていないとすれば、先にあげた世界問題群の解決には、これまで人類が進めてきた「文明の進歩」を、もういちど根本から見直して、その方向づけや必要なコントロールを可能とする方法を発見しなければなりません。今日ではすでに、近代の史観の通念となっていた〃進歩〃への肯定や信仰に対し、各方面から厳しい批判や疑問が向けられはじめています。軍備の問題のみならず、公害にしても、あるいは遺伝子組替えなどにみられる〃生物学革命〃の諸方法にしても、はたして技術の〃進歩〃が本当にプラスの意味をもつかどうか、たいへん疑わしくなってきておりますから、それも当然のことといってもよいでしょう。

にもかかわらず、そこから進んで、どの種類の〃進歩〃がチェックされるべきなのか、それらをコントロールするとすれば、学問研究の自由などどう調整されるのか、といった問題がすぐ出てきます。それにもまして、国益や企業利益の観点から推進されている技術革新や兵器生産などは、どんな手だてで有効に抑制できるのでしょうか。国家間、企業間、あるいは個人間の、のっぴきならない競争に、全力をあげている人々や諸組織に対し、〃馬鹿ナコトダカラ、ヤメナサイ〃と声をかけても、無視またはは反撃をうけるのが通例でしょう。国家間の軍備競争が過熱している場合には、悪くすれば〃利敵行為〃だとして処分されることにもなります。企業間の競争でも同様ですし、たぶん個人間でも、競争に敗れると落伍するといった場合、〃手を引くわけにはいかない〃し、反対に人間にとって危険な研究や実験や生産などにいそしむということになるでしょう。

このような人間性に根ざした行動様式や組織のダイナミックスを変えることは、いうまでもなく至難のわざであります。国家はもちろん、企業・官庁・組合などの諸組織は、それらの存続と発展のために〃最適〃と考えられる方法で利益を追求する組織の原理をもっています。その中で働く諸個人も

「幸福追求」のための類似の行動原理に従って動いているわけです。そうした組織および個人の行動や政策の原則を変えようということは、人間として長い間歩んできた生き方や考えを捨てろということですから、ほとんど実現不可能に近い要求になります。

いまや文字どおり、発想の転換が必要だ

しかし、人間がみずから生みだした技術や組織によって、人類生存の基盤が壊されつつある今日、これまでどおりの行動原則に従っていくと滅亡の道につながることが明らかである以上、どうしてもその変革が必要になります。ここでは少なくとも人間がみずからの墓穴を掘るような方向には進まない、という決断が要求されます。この決断は、在来のものの考え方を根本のところで大幅に変える意味を含んでいます。「発想の転換」という言葉は、近頃「ハウ・トゥ」ものの表題や政治家たちの用語にしばしば現われて、いささか陳腐になっておりますが、ここでは文字どおり「発想の転換」が必要になっているといわねばなりません。先に述べた「進歩」の観念をはじめ、私たちがともすれば絶対視しがちな「国家」のような組織も、根底から見直して、それらの方向を変えていかないことには、人類がいま陥りつつある袋小路から脱却できる望みはないからであります。そのような考え方の転換は、むろん個人レベルにおいても、小さいエゴの充足や利益・利便の追求のし方を変えるという意味で、近代合理主義などの変様を含んでいるはずです。

　これは決して、一方で個人の放棄あるいはエゴイズム一般の否定でもなければ、他方で前世紀からあった国家否認を意味するものではありません。むしろ、個人のエゴイズムの昇華と国家的なるもの

の弁証法的な止揚を含む、高次の思想転換とでもいうべきでしょうか。つまり、一方で私たちは、個人としての栄達や利益を——たんなる〃公益優先〃という外からのイデオロギーによってではなく——内発的な自律によってコントロールできるように、自己教育していくという課題を負うことになります。他方で、企業や国家もまた、その成員たちの組織エゴイズムや閉じた情熱（ナショナリズム）にかわって、類としての人間の生存や福祉を指標とした方向に舵を向けるように、規律づけられなければなりません。

くりかえし述べてきたとおり、これは人間というものの欲望や本能をある程度まで変えねばならない難事業です。ここで期待される人間像は、自己やその家族や〃祖国〃しか愛せない人間ではなく、真に自由かつ自立的であるがゆえに、自国のみならず全人類の平等の福祉を考えずにはいられない人間、ということになりましょうか。とにかく、新しい自立と連帯の原理を身につけた地球人が、これからの世界問題を解決しうる主体として、次の世紀の担い手になることに希望を託すほかないのであります。——そしてこういう主体的な人間を生みだす方法は、教育しかありませんから、現代教育の課題は、途方もなく大きくむずかしいものとなります。以下、この課題を、平和の問題にしぼって考えてみることにしましょう。

3　現代における平和の問題

平和の要求とそれを妨げる悪循環

「核」の開発によって、現代の人類は、類としての人間の存在まで壊滅させるほどの軍事力をもってしまいました。国家理由（つまりは国益）が推進してきたこのような兵器文明が、諸国家およびどの国民にとっても、今では災厄以外の何ものでもないことは、判断力のある人びとにはほとんど常識になりつつあります。にもかかわらず軍備競争がやまないのは、前にいったとおり、旧来の国益優先の考え方が依然として支配しているからですが、人間が理性的であるかぎり、一つだけ原則的に一致する点があります。それは、「全面破壊を防ぐことは、他のあらゆる目的に優先する」ということです。ご承知のとおり、この認識は、一九五〇年代の中頃に出されたラッセル＝アインシュタイン声明などを通じて、諸国家の多くの知識人たちに共通のものとなってきましたが、最近の核反対運動にみられるように、世界中に拡がってきております。

右の基本テーゼが確認されるならば、そこからもう一歩すすめて、「核」のみならず大量殺戮につながる兵器を捨てるための本格の軍縮に導くことは、平和のための教育と運動さえ持続的に拡げられれば、手の届く現実課題になるはずであります。また現に、徹底軍縮なしに、「核」だけ廃棄するということは、おそらく不可能でしょう。米・ソいずれの側にしても、「核」を捨てたら相手にヤラレルと思う方は核兵器を手放すはずはないから、どうしても通常兵器を含めた軍縮が必要なのです。しかし、くどいようですが、この課題が容易でないことをよく知っておくために、重要とみられる若干のポイントにふれておきたいとおもいます。

まず、教育の観点からとくに注目されるのは、国際的な緊張関係のなかで、国民がともすれば盲目的なナショナリズムの熱狂に引き込まれやすい傾向をもつことです。単一の国民国家の場合はもちろん、多民族国家（現に米・ソ・中の超大国はみなそうである）でも、対外的に利害を共にする立場から、ある国民が敵対的だと見なした国家に対し――むろん国（とくに権力層）側からの働きかけや情報操作も加わって――つよい対抗意識や不信感を抱くのがふつうでしょう。そうした不信感は相互に増幅され、憎悪や敵愾心に転化し、軍拡を促進する要因にもなります。互いの間の軍拡競争は、さらに国際緊張をまし、国民生活をも圧迫するから、相互に不信感を刺激することになり、ここに軍拡と国民間の敵愾心との悪循環が生じやすくなります。

平和をつくる教育と運動はなぜ必要か

このような負の循環を治療し、さらにはそうなる前に予防するのには、お互いの国民の間に理解の通路をつくり出す外交とともに、平和教育が決定的に重要な役割を果たすことになりましょう。ひとたびこじれ出した国民感情を親和感に変えるのはむろん容易ではありませんが、今日のような「核」の脅威の下では、教育によって戦争の無意味さを理解させることは、十分に出来るはずだし、またしなければなりません。核戦争だけは、いちどやってみてその恐ろしさや愚かしさを知るということはできないので、ヒロシマ・ナガサキの不幸な体験などを通じて、人間の想像力で認識する以外にない事柄です。人々にそういう想像や認識の力を与えることこそ、教育の仕事、いや教育しかできない仕事といえるでしょう。しかも、今日、平和は人間生存の第一の条件ですから、平和を創出するための右のような仕事は、教育の第一目標とされるべき意味をもっております。

ところで、平和を確保するためには、国民の平和志向や国際友好の精神を高めるだけでなく、軍国主義化に対抗したりそれから民主主義をとり戻したりする運動が必要になります。けだし、国がミリタリズムに冒されると、軍事目的が他の価値や目的に優先し、国民はそれへの奉仕に駆りたてられ、平和を唱えることさえ〝反国家〟主義として弾圧されることにもなるからです。そして、軍部が国の財政や外交や教育にまで口を出して、国政を壟断するような軍事国家になると、仮に民主的な憲法があっても、それは棚上げされて、軍独裁の支配体制になることは避けられません。

こういう軍中心の国が出来ないようにすることは、したがって、平和教育の眼目になります。ところが、現実には軍事国家がふえているのは、それが同種の国をつくりやすい傾向性を内在させているからです。つまり、一つの軍事国家は、その国の内部でデモクラシーを滅ぼすだけでなく、戦争本位の政策を通じて国際緊張を高め、近隣の国をも――それに対応するため――軍事国家に導くという刺戟反応をひきおこすからであります。軍事国家はこういう意味で、福祉国家（Welfare State）とはいわば正反対の〝戦争国家〟（Warfare State――F・クック）になり、国民をも近隣の諸国家をも道づれにして、内外に災厄をばらまく存在となるでしょう。戦前の日本を含めて、ファシズム諸国は、このような典型例をみせています。

軍事国家の脅威とそのメカニズム

もう一つ、こうした軍事国家ができる過程は、歴史的な諸条件の組合せでさまざまに異なった形をとりますが、現代においてとくに重要な促進因として、いわゆる産軍複合体が注目されます。この現象の分析は簡単にはできませんが、敢えて一言でいえば、軍部と巨大企業とが軍備を通じて密接な相互依存関係を結んで、財政をはじめ国策まで左右するような勢力となるということです。現代兵器体系の発展には、科学技術の協力が必要ですから、これに大学・研究所が加えられ、「産・軍・学」の複合体になるともいわれ、近頃では行政官庁がセットになって、アメリカ合衆国では「産・軍・官」の鉄の〝三角形〟が結成されているといわれております。資本主義とは根本的に異なる経済体制をとるソヴィエトでも、ほぼこれに類比される複合体が生じているとみられ、現代の新しいミリタリー・レジーム（軍事的支配）の一種と呼ぶことができるかもしれません。

このような権力複合体は、金と力と組織と宣伝網をもっているために、きわめて強力であり、ひとたび出来あがると、国民がよほど強い民主的な政治力をもっていないかぎり、これを抑えこむことは不可能になるでしょう。逆に、軍・産・官が一体化して、（戦前はやった用語を使うと）「高度国防国家」が作られると、国民は「滅私奉公」をしいられ、〝国のため〟にいっさいを犠牲にするよう教えこまれ、すべてが軍本位に動かされるということになります。こうした現象は、ほんらいは身体の防衛機構であったものが自己増殖して本体の生命（いのち）を奪ってしまう白血病に酷似しておりますので、私はこれを政治的白血病の症候と呼んできました。この病気にかかるとその治療はたいへんむずかしく、民主国家の生命（いのち）とりになる点に、私たちは十分な注意を払わなくてはなりません。

実のところ、こうした症候にかかって軍国化した国は、第二次大戦後ますますふえてきております。東西いずれにも、準戦時状態になっている国や、戒厳令を長く布きっぱなしの国がたくさんみられますが、これらのほとんどは右のような症状になっているとみてよろしいでしょう。そうした意味で、いわゆる「有事立法」を作る準備などは、一種の前ガン症候としてきびしい警戒が必要であります。戦時を想定して、国民を総動員するという計画がその実態ですから、そうした法体制ができると、民主憲法にとってかわって、ミリタリー・レジームを生みだす危険がきわめて大きいからです。いずれにしても、軍事優先の発想には政治的白血病を生ずるつよい因子がふくまれているので、民主教育は、そうした危険な病理に対し、軍事力が自己増殖をはじめないように、不断にチェックしていかなければなりません。

4　教育の任務と可能性

教育はいま何を為すべきか

平和をはじめとする現代の深刻な世界問題群に直面して、教育が為すべき仕事はたくさんあります。個別の問題に立ち入っていく余裕がないので、ごく一般的な原則に限定するほかありませんが、方向としては少なくも次のような指針があげられると思います。

第一は、次の世紀を担う子どもたちに、凄まじいほどの過剰情報の中から、何が根本問題であるかを見わけ、これを理解する視野と知力を与えることです。愚にもつかないペーパー・テストのための片々たる知識を憶えこませるかわりに、戦争と平和の問題のほか、冒頭に述べたような世界的問題の意味や実体を把握する能力——ひいてはそれを解決する力——の養成に努めることが、肝要であります。小学校から大学に至る各段階で、それぞれの理解力に応じた仕方で、「戦争と平和」、「公害」、「人口とエネルギー」などの問題をとりあげ、長い時間をかけて総合的に学習させることは、教科書をまんべんなくくそ暗記させるなどよりは、格段に秀れた教育になるでしょう。

第二に、私たちをとりまくさまざまな困難と取り組む創造的な精神と持続できる体力を養成することが大切です。わが国では、異常な受験競争のため、多くの青少年が幼少時から、この二つともに磨滅させられるという状態にあるだけに、教育関係者たちは、教育の原点に立ちかえって、子どもたちの身心をそうした泥沼から救い出すことに、もっと眼の色を変えてとり組むべきであります。なお、創造的な魂にとって、権力による教育の画一的な統制がきわめて有害なことは、改めていうまでもありません。創造的な意欲や力をもった子どもたちを育てるために、まずすぐれた意味での教師の自由を守り育てることが、ここでも重要な課題となるわけです。

第三に、右の点とも関連して、先にも述べた自立的な人間の新しい連帯の可能性を、幼少時から子どもたちに拡げていくことが、大事だと思います。それには、人間尊重を原理とした自我の確立が前提となります。このことじたいは、近代的自由の原理に内在するものですから、とりたてて新しい要請ではありませんが、古い〝共同体〟が崩れ去り、人間関係の機械化や管理化が進行するなかで、自立したエゴと〝隣人〟に対するやさしさを身につけさせるのには、新時代にふさわしい連帯をつくり出す教育が望まれます。旧時代では世界的宗教が担ってきた〝隣人愛〟のような価値感を、宗教に疎遠になりつつある人びとの中に、どのように育てていくか。これは、これからの教育の大きな課題になるように思われます。

重い困難の中で、教育は何を為しうるか

右のような指針は、むろん現代教育の充分条件ではなく、そのほかあれやこれやの要請や目標があげられることでしょう。ここでの話の中心となった「平和」じたいも、教育の目標であると同時に、その前提条件でもあります。ただ、上述の必要条件を満たせば、平和や環境やエネルギーなどの世界問題の解決に大きなメドが得られるはずです。問題はそこで、今日の教育がはたして右のような条件を達成することができるだろうか、ということになります。

じっさいのところ、私たちを取り巻く世界および日本の現実を考えると、これについて楽観的な答えは出てきそうにもありません。冒頭に述べた現代世界のきびしい諸問題は、いずれも人間の教育にとって、じつにむずかしい局面をつくり出しています。また各国家において、国益の追求やパワー・ポリティックスがおこなわれている以上、平和のための教育ひとつをとっても、それを妨げる条件がたくさん出てくることは、先に述べてきたとおりです。

こう見てくると、教育によって平和や無公害の世界が簡単に開かれていくだろう、などと考えるのは、非現実的な夢想にすぎないということになるでしょう。少なくも、教育や教育者に過大な期待をかけ、できそうもない責任を押しつけることは、禁物だといわねばなりません。

教育というものは、そのまま自然に、たとえば教育基本法に書かれているような具合におこなわれ

るわけではない——ということは、教育の現実にふれたことのある者なら誰でも知っています。教育の前に立ちふさがるのは、たんに国家の権力者やイデオローグや彼らの手足となって働く追従者たちだけではありません。自分の子弟のことしか考えない父母とか、いろいろな意味で劣悪な教育環境の中で歪められた生徒や学生たち、さらには教育の真義を考えない教師たちじたいも、〝教育の敵〟として現われることになるでしょう。その他、偏狭で排他的な宗教者や、こちこちの国家主義にこりかたまった政治運動家や、理非の弁別のない暴力人などが、民主的教育を目の仇にして攻撃を加えるといった現象は、わが国でもしょっちゅう見られる光景であります。教育に関心をもつ者が、民主教育の破壊者の側にまわるという困った状態は、教育の困難さをこのうえなく示すものです。

現代の局面で、教育は何を為しうるかを考えるとき、こうした身辺の状況を思いあわせると、いささか気が重くもなります。しかし、暗い面の反対側には明るい面があるわけで、そこには民主主義のために献身的に働くたくさんの人びとがおり、平和を望み戦争に反対する民衆は数限りなくいます。国際社会に眼を転じてみれば、そこは、一部の人びとが考えるような百鬼夜行のホッブス的自然状態ではなく、かつてカントたちが夢みた国際連合が——まだ微力だとはいえ——でき、国際人権規約のような一種の人類憲法的なものも実現されはじめています。

教育の領域でも、真剣に理想をみつめて秀れた実践をしている教師や研究者も、世界中に数多くいるわけです。暗い一面だけを見て、悲観したり絶望したりするのはもってのほかで、すでに私たちの間にも、権力や威武をもってしてもうち壊しがたい連帯の輪もあちこちに出来ているではありませんか。この輪を拡げ、互いに錬磨し励ましあって、知的創造と実践を進めていくならば、教育の可能性はかぎりなく拡げられるでありましょう。――現代における教育の任務は、このような可能性の拡大を通じて現実に果たされることになろうと、私は信じております。

むすび――わが国の現実の中で

終りに、わが国の現状に即して、多少の蛇足を加えておくことにします。先に一般的に述べた状況のほかに、近頃の日本では、例の「紀元節」(建国記念日)の再現をはじめ、「君が代」の「国歌」化、元号制の法定化などが押し進められ、さらには改憲運動と並んで、靖国神社の国営化、教育基本法にかわる「教育勅語」復活の運動など、いわゆる右傾化の傾向が顕著になっています。内外から厳しい批判を受けた社会科教科書の権力的統制や歴史の改ざんなども、むろんそうした流れの一環をなしていることは、みなさんご存知のとおりであります。超保守勢力を主軸とするこのような動きの中で、民主教育を建て直し平和教育を推しすすめていくには、学校内外における教育関係者の絶大な努力が求められます。そしてこの事業を達成するには、民主主義を支えようとするすべての人びとの連帯が必要になります。

そうした連帯の中核には、事態を認識しこれと取り組む意志をもった教育関係者(教師のみならず父母も)が立つことになるでしょう。この人びとには、前に述べてきた「課題」を果たすために、伝統的な価値観を含めた自己の改革――少し大げさな表現をすれば人間革命といっていいかもしれません――が要請されます。それは、教育という創造作業にたずさわるとき、真に自立的で自由な主体となること、そのために世俗の名誉や出世の望みからも〝自由〟になり、力による脅しや金の誘惑などからも〝自立〟できるような価値観をもつことであります。

これはもちろん、言うは易くしておこなうは難いことですが、さりとて凡人に対して聖者になれという難題を課すものではありません。この世の中で、権力や富貴のためにあくせくすることがどんなにむなしいものであるか、逆に学習や教育の創造的作業がどんなに素晴らしいものであるかを認識さえすれば、あとは努力次第で誰にでも出来ることではないでしょうか。さまざまな欲望のある人間が宮沢賢治の謳ったあの〝でくのぼう〟のような人間になるのは、容易ではないかもしれませんが、みずから学習をつづけさえすれば、前述のような意味での自己変革はできると思います。

私からいうまでもなく、そのような学習と教育の実践を重ねられている方々は、みなさんの中にもたくさん居られることでありましょう。私はそういう人びとに、人類や日本の未来の希望を托したいし、また自分じしんもそのような人びとの戦列のどこかに加わって、微力ではあっても、――人生の終りに臨んだとき後悔をすることのないよう、――為しうるかぎりの努力をしていきたいと考えております。

II　教育がになう平和・軍縮

〔まえがき〕　本章IIは、日教組第三〇次・日高教第二七次教育研究全国集会（一九八一年一月一三日）でおこなった記念講演の記録である。

はじめに――

主題に即して申し上げたい点は山ほどもあり、与えられた時間に意をつくすお話ができるかどうか心がかりだったのでありますが、スケジュールの関係で若干時間をちぢめるようにとのご要望がございました。ということで、話を大幅に刈り込まなければならなくなりそうですので、いっさいのごあいさつ抜きにただちに本題にはいらせていただきます。

三〇年めのこの教研集会は、これまでになくきびしい全面的な民主主義の危機状況のなかで開かれております。憲法、教育基本法はすでに一九五〇年代のはじめから、しばしば反動的な諸勢力からの攻撃を受けて今日にたちいたっておりますが、そうした攻撃が現在ほど本格化したことはございません。このなかで、教育そのものも、また、さきほどの構成劇にもみられましたように、重大な問題状況に直面させられております。

いっさいの序言を省略すると申しましたが、ひとこと、一〇年まえを振り返らせていただきたいと思います。さきほどの構成劇のなかでも紹介された教育制度検討委員会が、一九七一年の六月に最初の中間報告をしたとき、その冒頭でつぎのようにのべております。

「日本の教育の現実は問題に満ちている。現状に満足し、それを肯定する者は、ほとんどあるまい。受験競争の果てしのない激化、子ども・青年の勉学意欲の減退、教師のいわゆるサラリーマン化、高校・大学に頻発する学校紛争、親の教育費負担の重さ、教育環境の荒廃、親は疑問を感じ、子ども・青年は不満をもち、政治担当者は不安をもち、識者は批判をもつ。」

『日本の教育はどうあるべきか』という表題でだされた最初の報告の冒頭にこう書かれております。

この教育制度検討委員会には、私も一員として参加していたのでありますが、いまからかえりみますと、当時そうとうに深刻だと考えられていた問題状況も今日ほどではなく、いまとくらべてみればまだ明るい面があるのんきな時代でありました。あえていいますと、いま引用いたしました文章のなかにも多分に牧歌的な響きさえ感じられます。今日は事態はさらに悪化し、学校内暴力、家庭内暴力をはじめ、国中に深刻な教育の問題状況が進行しております。

青少年の非行はますます増加し、小・中学校生の自殺・殺人、さらには受験生の父母殺しのような異常な事態があいついでいることも、その一端にほかなりません。教育の退廃、教育環境の劣悪化は、とどまるところを知らない状態になっております。

こうした状況がとめどもなく進行している半面、他方で、一九五〇年代からおこなわれてきた軍事力の拡大は、このところ急テンポに押しすすめられ、憲法第九条は窒息寸前の仮死状態にまで追いこまれるにいたっております。それとともに、さらにまた以前から徐々に復活されてきた旧体制のシンボル「日の丸」「君が代」「元号」「紀元節」そして「護国神社」等々が、今日さまざまなかたちで生きかえらされ、それとあいともなって、教育現場にたいする右偏向の圧力も、ますます強まる一方であります。いまの構成劇で演じられた二度めの「冬の時代」への入り口と申せましょう。私たちの立っている現時点は、まさにこういう深刻な状況であり、それをまっ向からみすえてこの教研集会が開かれていることを念頭におきながら、主題である平和の問題にはいっていきたいと思います。

増大する世界の危機と教育の荒廃

こういう教育の問題状況は、いうまでもなく種々の複合的な原因に基づいており、とうてい短い時間では論じつくしうるものではありませんし、私の本日の主題からもはずれますので、その原因探究にははいりません。ただ、一般論としていえば、物質的にはゆたかになり、生活が欧米諸外国に比べてさえもいちじるしく向上してきたわが国の社会で、このように教育の荒廃が進行しているということ自体がどこからくるかは、政治的および精神的な危機状況の深まりとしてとらえなければならないように思われます。とりわけ、教育荒廃の結果でもあり、また原因の一つでもある無関心状況の広がりは、目前で進行している政治・軍事・社会・教育の全面にわたる危機と相互に深めあっている関係にあるだけに、私どもにきびしい問題をつきつけております。私たちは、そのような根源に立ち入って問題の解決の道をさぐりあて、教育の現場のあらゆる場所で、それと取り組んでいかなければならないということを、痛感させられるのであります。

こうした視点からみれば、現に、教育荒廃の状況とともに、あるいはその背景で、人間たる生存の条件を根底から脅かしつつあるさまざまな脅威が、私たちの日常の身辺のみならず世界的な規模で進行していることが注目されます。人口の増大、エネルギーの危機、食糧供給の恒常的な減少、巨大生産と大量の消費から生ずる公害、環境の破壊、そして何よりも戦争の脅威。こうしたグローバルな危機にたいして一日も早く根本的な解決策をたてるべきであるのに、各国家は、みずからの国益の追求に汲々として、その意思も力ももちえない状態にあります。諸国民の大多数もまた、誤った教育や情報操作にもとづく、無知・無関心のゆえに、誤った道を選択し、人間がみずから生み出したこの状況をいっそう深刻な方向にすすめつつあるのが、世界の現状と申せましょう。

こうした危機にたいし、人類の対応は、それぞれの個別の体系、企業や個人の生き方、個々の国家の道などの選択において、当事者たちは、合理的な、また、賢明な道を選んでいるはずであります。しかし、その合理的選択の結果が、ますます人類全体を大きな袋小路のなかに追い込んで、のっぴきならない状態のなかにさらに駆りたてていく、ここに私どものめりこみつつある大きな悲劇があり、矛盾があり、解決しがたい問題の原因があります。私たち自身が生み出した脅威と、それに対応する道の選択そのものが、じつはほかならぬ人類全体の文明の落し穴になっている。こういうことから、私どもの道の新しい選択のしなおしをしなければならないのではなかろうか。これが、きょう申し上げたい私のテーマの基軸にある問題意識であります。

以下、主題に即し、主として軍事問題についてこの点を整理して考えてみたいと思います。

わかっていながらの、破滅への進行

一九四六年の平和の再興の一時期を除きまして、米・ソを中心とする東西の対立に巻き込まれたあらゆる国々は、最近のアフガニスタンへのソヴィエトの侵攻にいたるまでのデタントの時期をもふくめて、とめどもない軍備拡大をつづけてきております。この間に人類は、みずから想像してきたあらゆる仮定さえものりこえて軍事技術を錬磨し、組織し、すでに一九六〇年の段階において、周知のとおり相互殺戮を何回もおこないうるほどの大量破壊の装置をつくってまいりました。今日ではご承知のとおり、米・ソをはじめとする核保有国が開発・保有している破壊力は、広島・長崎クラスの原爆に換算して一〇〇万発をはるかにこえているといわれております。

こうした軍備拡大がつづけられていく極点には、おそらく、いままでの歴史の経験にかんがみますと、カタストロフィが待っております。わが国がすすめている軍備計画は、そういう大破局にはいかないという想定のうえに成り立っているようでありますが、端的に申して、私は、人類がこれから核全面戦争に突入していく確率は非常に高いのではないかと、かねて憂慮しております。今世紀中にでも第三次大戦がはじまるといたしますと、人類がかりに絶滅をしないまでも、ここでこれまで数万年にわたって——あるいは人類が直立猿人になってから数百万年にわたって、といったほうが正しいかもしれませんが——築いてきたあらゆる文明を壊滅しつくし、おそらく地上の制覇者としてこれまで君臨をしてきた人類文化にピリオドを打つことになりましょう。

こういう事態のもとでは、かつてクラウゼヴィッツがいったように、戦争は政治の延長であるという理由は全くなくなっております。戦争目的そのものがどのようなものであっても、核兵器によって人類文化全体を壊滅しつくすような今日においては、それが意味をもたないことは明瞭であります。

それにもかかわらず人類がたどっている今日の軍事競争の道は、それぞれの国家において合理的であればあるほど、人類にとってはこのうえない愚劣な選択になっているのでありますが、その愚かしさをそれぞれの国の指導者や国民がわかっていながらやめられないというところに二重の悲劇があり、あるいはもっとも根本的なパラドックスがあるのであります。社会工学のことばをもちいますと、それぞれの国が自己の国益を追求するためにもっとも合理的な選択をすることは、いわゆる閉じた体系のなかでの最高の効率の追求であります。最小の犠牲で最大の効果をあげるというオプティマムの追求が、それぞれの国でもっとも効率的になされている結果、人類にとっては最悪の選択になるということが、これほど明らかになっている時代はございません。

こういう事態になっているにもかかわらず、大多数の国々で国家への忠誠が要求され、国益の追求が最高の目標とされ、そのために、いっさいを投げうって軍備を推進するという古い行動選択が依然としてつづけられている。核の時代において人類の目から見るならば許しがたい犯罪ともいえるそのような国益中心の軍事競争が、人びとの頭の片すみではわかっていながらやめられない。ここに、人類そのものが国家というもののあり方にたいする根本的な反省と発想の転換を要求されている理由があるのであります。

核の時代に、なぜナショナリズムか

二一世紀を目前にしながら、ひょっとすると人類が、いままでの歴史哲学者たちが夢にも考えなか

ったような文明の終焉を現実におこなうかもしれない、そのような国家のあり方そのものが問われなければならないはずであります。なぜいま、この核の時代においてナショナリズムか。私たちの周辺にいまさまざまな怒号をばらまいて平和主義を攻撃している人びとをふくめまして、なぜナショナリズムをやみくもに推進するのか、根本的に問われなければならないのであります。

もちろん、こうした国家エゴイズムを中心とする行動の原則が人類の視点からみていかにまちがっているかということについては、世界大の規模でたたかわれた第一次大戦、第二次大戦それぞれの直後に多くの人びとによって語られ、国家の枠をこえて人類の道を発見しなければならないということが繰り返し説かれてきております。パグウォッシュに集まったラッセル、アインシュタインを中心とする世界最高の英知が見いだした道も、それであります。日本国憲法第九条に凝縮された、「いっさいの軍備を放棄する」という平和主義の道も、そうした根本的な反省にもとづいていたはずであります。

たとえば、また、第二次大戦後にエメリー・リーブスなどの人びとが説いたように、いっさいの国境をなくすことによってはじめて戦争を絶滅できるというような提案がなされたのも、その一つであります。国境をなくすことによって世界平和を達成するという世界連邦論者の説くところは、わが国の第九条の理念とも一致し、長い眼でみれば、おそらくは人類がすすむべき唯一の道でありましょう。

しかし、そういう連邦論が、現実に国家を根本的に改革し、その国家利益を推進しているさまざまな機構、なかんずく軍事のメカニズムを消滅させ、ほんとうの平和に導いていくことを可能にする条件をもっているかというと、それは絶望的なほど小さくみえます。世界の大部分の国々は、精神文化のかわりに「兵器文明」を増大させ、カタストロフィへの道を急いでいるようにみえます。いいかえれば今日の多くの国々が現実に選んでいる道は、わが国の憲法第九条やラッセル＝アインシュタイン宣言などとはまったく逆のそれであります。このまま軍備競争がすすんでいけば、悲劇的な核戦争の可能性もますます増大する一方でありましょう。

「国の安全防衛」ということをうたいあげてナショナリズムを説くことは、それぞれの国の担い手にとっても、あるいはそれぞれの国に生きる諸国民にとっても、核時代以前にはそれなりの歴史的な理由がありました。独立した主権国家が、それぞれの道についてみずからの政策を決定する自由をもち、他国からの干渉を排するということは、今日でもそれなりの意味をもっております。しかし、軍事力の次元が一変した今日、人類がみずからのつくりだした悲劇的なブラックホールへののめり込みという方向にそのままはいり込んでいったならば、これは冒頭に申しましたとおり、現代の人類がおかす最大の愚行になるはずであります。こういうことが理論として、あるいは理性としてわかっていながらやめられないということを、もう一度私たちの現状に即して冷静に見ておかなければならないはずであります。

軍事組織増大の脅威

平和への人びとの希望が、あるいは欲求が、共通の思考の目標になるにもかかわらず、現実にそれをはばむ力はきわめて強大なものがあります。各国のそれぞれのエゴイズムは、〝われわれを脅かす相手がやる以上、われわれもそれに劣らぬ軍備をしなければならない。やらなければ敗北をする（あるいは侵略される)。ここで絶対に負けることはできない〃という理由で、それぞれの国民を駆りたてています。国民の情緒や感情がゆりうごかされるから、その力は巨大なものとなる。というわけで、戦国時代のすべての国々やその支配者たちが使っていた論理が、いまでも有効なものとして通用している。この点に、平和主義を退行させる力の大きな原因の一つが見いだされましょう。

第二に、各国の平和運動や平和教育が当面する最大の〃難敵〃は、そのような国益をみずから担うと称し、現にそれを推進しているさまざまな勢力、なかんずく軍および治安を中心とした巨大な組織であります。ライト・ミルズという学者は、軍人を、〃みずからの職業的意識において日常生活のなかでいかに敵を倒すか、いかに有効に最小の犠牲をもって人を殺すかということを専門の職業としている暴力人だ〃と規定しましたが、じつのところ、この職業的暴力人を中心とする軍事機構が国家の中枢部を占めて、軍事のみならず外交・財政・教育など国のもっとも基本的な政策を決定する強力な中心勢力になっている国は、今日、世界的にもふえる一方であります。

一九六〇年の段階で、あるイギリスの学者が計算したところによりますと、このような軍事勢力が政策を決定しているミリタリー・レジーム、もっと端的にいいますと、広い意味での軍事国家は、全世界のざっと四分の三くらいを占めているとみられます。六〇年の段階で、すでに立憲民主政治をとっている国はたかだか二十数か国にすぎないということをのべておりますが、その後も軍事クーデタで新政府をつくった国がいくつか加わっていますから、いまや、軍部が威勢をふるう軍事国家は世界の大半を占めつつあるといっても過言ではないでありましょう。

戦闘および治安の実力装置を備えた圧倒的な力を持つ集団が、いつでもみずからのいうことをきかない政府を倒しうる実力をもって国の政策を決定しうるにいたった国々が、これほどふえているということは、人類にとっても危険な傾向といわざるをえません。ちかい将来にそれらの集団の決定によって悲劇的なカタストロフィに私たちを導いていく結果になる可能性が、大きくなる一方だからです。米・ソの対立を基軸にして、このような軍事国家がふえつづけ、核の蓄積と拡散が進んでいく状況をみるにつけて、第三次大戦が起きるかもしれない、しかもそれは全面的な核戦争になるであろうという憂慮を、私は年ごとに深めております。

破滅をはばむ力、平和教育と平和運動

ところで、国の軍事化を推しすすめる勢力が、どのように強大なものであるかは、あらかじめ十分に認識しておく必要があります。この点ではまず、ライト・ミルズが「ウォー・ロード（戦争貴族）」とよんだ軍部の指導者を中心に、財界、政界、あるいは場合によっては一部分の労働者階層をもふくめて、きわめて広範な軍事諸勢力が、注目されます。アメリカでミリタリー・インダストリアル・コンプレックス（「軍産複合体」）と呼ばれてきた勢力、あるいはそれに官僚が加わり、さらに大学・研究所をもふくめて一丸としたような巨大な軍事推進組織が、各国に形成されております。この巨大な組織的勢力は、圧倒的な武力・財力・情報力を操作しうるがゆえに、平和諸勢力にとって容易にはうちかちがたい「一大敵国」になっているとみてもさしつかえないものであります。諸国民の圧倒的な世論がつよく平和を求め、軍縮を推進する社会力にならないかぎり、これにうちかつことは不可能といっていいほど、それは巨大な力をもっております。

こういう諸勢力が推進していく政策は、それぞれの国民にとっても、あるいは個人の生活にとっても、あるいはその周辺の家族の、小集団の、さらには企業の、とりわけ個別の国家の利益にとっても、"それが必要である"ということのゆえに、つよい牽引力をもちます。同時に、こうした組織とその行動原理そのものが、人間のもっている前頭葉の高度に合理的な知能や、判断力や欲望に根ざしているために、各組織や各人の利益と結びついて、「国の安全」とか、「祖国愛」とか、「国益」とかのイデオロギーが、多くの人びとを情緒的に駆りたてる力をもつようになります。いいかえれば、これらの組織は、――それをささえているすべての人びとの行動原理がじつはほかならぬ私たちのものの考え方・行動様式に深く結び合っているということのゆえに、――きわめて克服しがたい影響力を与えているわけです。

こうした諸勢力とそれをささえているさまざまな諸条件をのりこえて、圧倒的な世論が平和をつくり出していくようにするためには、あらゆる場所で、目覚めた人民が軍縮を推進する世界的な大共同戦線をつくりだしていくほかないでありましょう。そして、それを可能にするのは、ただ一つ、平和教育と平和運動を成功させる以外にはないはずであります。

教育の場に通用する個別の「各論」

いうまでもなく、こうした勢力の巨大な軍事力・財力・情報力をのりこえていくために、私たちは小さな力を寄せ集めて、きわめて多くの困難をになっていかなければならないのでありますが、そのためには、それぞれの生活の場において私たちのものの考え方を、これまで私たちが立ってきた基盤から根本的に変革していかなければなりません。そうでないかぎり、人類が落ち込みつつあるブラックホールへの、悲劇的な末期への道を回避することはできないということを、ここで確認しておきたいのであります。

くりかえし述べてきましたが、〝わかっているけど、やめられない〟という軍事競争の論理は、私たちの日常の場ではしばしば、〝総論は賛成だが、各論には反対だ〟という用語に見られるように、現実優先のリアリズムと結びついております。このことは、日常、「敵と戦って勝つ」ことばかり考えている職業軍人たちばかりでなくて、ほかならぬ私たち自身のなかにもはいり込んでいる思考原理であります。たとえば、〝○○企業は永遠です〟といって自殺をしていった人があったように、企業のために、あるいは企業のもうけのために何でもする、ここで勝たなければ企業としての存立の基盤が失われるということは、それぞれの企業のなかで勤めている人を駆りたてる大きな要因になっており、それを推進することに成功した日本は経済大国としてのしあがっております。

しかし、企業ということばを国におきかえれば、このような論理でやみくもに駆りたてていくというやり方が、さきほどらいのべてきた軍事国家をつくりだす原因にもなっているのであり、またおなじように大小さまざまな現象が、私たちの日常生活のいたるところに見られるのであります。やくざの集団にしても、過激派集団にしても、〝ここで目前の敵とたたかってそれに勝たなければならない〟という論理が、——ときとしてはそれぞれの集団の存立の基盤を失わせているにもかかわらず、——手段を選ばぬ行動に駆りたてていくといったこともよく見られる光景ですが、これもその一例といえましょう。

ところが、ちょっと考えると誰でも気がつかれるように、ほかならぬ私どもの教育の現場にも、おなじ論理がそのままに通用しております。教育の荒廃のさまざまな複合原因のなかで最大の一つは、偏差値といういごく単純な尺度をもって人間をはかろうとする、そういう差別・選別のものの考え方にあることは、すでに以前から多くの人びとによって指摘され、批判されつくしているところでありますが、それにもかかわらず父母・国民の多くは、そして教師のなかのまた相当部分が、それぞれの子弟をいわゆる「いい学校」にやらなければならないとして、子どもたちを駆りたてております。

そのようにして、子どもらの生活の安定のためにも、いわゆる出世のためにも、何とかして〝いい学校〟に入れてやるとして、幼少時からドライブをかけ、そこから果てしのない受験競争が生じ、その結果として多くの悲劇を生み出していることは、周知の事実であります。こういう偏差値による人間の差別や歪んだ「能力主義」教育に基づく受験競争をなくさないかぎり、教育の荒廃は深まるだけだということは、多くの親も教師もよくわかっているはずです。

こうした事態にもかかわらず、〝総論には賛成だが、各論としてはそうはいかない〟という理由で、大多数の親も教師も、せまいエゴイズムと合理主義の枠組みを守って、全体としての悲劇を日々再生産しているわけです。ここでは、子どもをもふくめると、何千万の人びとが、〝わかっているけど、やめられない〟という点では、国益を中心にして軍備を駆りたててきたあの「暴力人」たちとまったくおなじ思考様式、おなじ行動原理を、家庭のなかで、学校のなかで、あるいは社会全体のなかで繰り返しおこなっているのが現状であります。――つまり、「総論」では、「現実に生きていけない」という個別の論理が、家庭や企業や学校や、そして軍事組織や、ひいては国家全般を貫いている行動の基本の公準になっているのであります。

私たち自身の行動原理の転換を

このような状態は、さきにものべたとおり、人類あるいは人間のなかにセットされた生物的要求と合理主義的なものの考え方に基づいているだけに、とても簡単には修正しえないものですが、こういう判断基準をここで根本的に変えないかぎり、個人も、企業も、軍部も、国家も、結局のところ悲劇的な道にすすんでいくということは、軍事のレベルにおいても、教育の立場でも、日ごとに実証されつつあることがらといえましょう。

このままでは、軍部や国家はカタストロフィとしての壊滅的な戦争に、個人や家庭あるいは学校は今日見られるような教育環境の悪化の方向に、いずれもおなじ発想、おなじ行動原理をつうじてますますのめり込んでいくことは明らかであります。

私どもの前に立ちふさがっている障害を現実にのりこえ、こういう状態を克服して、問題を解決していくのには、ただ一つ、二一世紀をまえにして、人類がかつてない破壊力をもち、かつてない環境の破壊をみずからつくりだし、いままでの歴史にない新しい状況のなかにみずからを置いているこの現状の正確な認識から出発して、正しい意味での「総論」をみずからの思考と行動の原理にするほかないように思われます。人類がまさに類的存在として文字どおり歴史にいまだかつてなかった状況に対面してこれをのりこえていくためには、いままでにない原理的な発想の転換をしなければならないはずであります。

まえにものべたとおり、これは人間がこの地上の制覇者として今日まで築いてきた文明の推進力であり、私たちがもっている家庭や企業や学校や国家のすべての集団の行動原理そのものであっただけに、これを突き破っていくことのむずかしさは想像以上のものがあります。それだけに私たちは、〈理想の総論〉と〈現実の各論〉という対比をこえて、まさに理想そのものを追求することにおいて、他のいっさいをかなぐり捨てなければならない局面に立たされはじめております。少なくも軍事問題においては、個別のエゴに根ざす現実的論理を捨てて、ひたむきに理想を追求しなければ、全面的な壊滅に導かれていく、という事実をとことん認識することから出発しないと、平和への道は切り開けないでありましょう。

理想の追求こそ、もっとも「現実的な各論」である

くりかえしになりますが、軍事力を推進していく政策の決定者、その組織、その組織を取り巻いてさらにそれをささえていくさまざまな現代社会のメカニズム、それは、ほかならぬ私たちをもふくめたすべての人びとの、さきほどらいのべているような行動原理によってつくられているだけに、〈理想の総論〉を推進していくということの困難は、きわめて大きいものがあります。しかし、ひょっとすると非常にちかい未来に、全人類が共倒れになるかもしれないという可能性をみすえるならば、平和の理想の追求こそ、もっとも〈現実的な各論〉になるはずです。こういう事態を見ますと、日本国憲法第九条がますます空洞化させられていく中で、逆説的にかえって第九条の正しさが明らかになっていくのであります。

おなじことは、教育の荒廃をつくりだしている現実のほか、かりに第三次大戦がなくても人類を死滅に導いていくかもしれないきわめて深刻な公害、あるいは環境破壊についても、エネルギーや資源をめぐる競争についても、ほぼ同様に当てはまるといえるでしょう。これらの問題を解決していくためには、それらがいずれも、おなじ人間の行動原理、おなじものの考え方からでているということを、私たちが確認すると同時に、これからの世代をになっていく次代の人びとに、的確に世界をみる目、国家をみる目、現実に私たちが立っている現場をみる目を与えていかなければならないのであります。ローマ・クラブ（第六リポート『限界なき学習』）が、世界の問題解決のために「革新的学習（イノヴェイティヴ・ラーニング）」の必要を強調したのも、これと同じ方向をめざしていると思われます。ともあれ、教育がその課題をになって、平和へのただ一つの道を可能にするためには、他の知識や技能を後まわしにしても、このような思考の大転換を可能にするような教育をすすめていかなければならないのではないだろうか。これが、きょう私の申し上げたい端的な結論であります。

軍事の問題、公害ないし環境の問題、教育荒廃の問題、いずれもそれぞれ特有の原因を掘り下げていくと、つまるところおなじ根から生じ、おなじ原理によって推進させられているということに、私たちは根本的な省察の眼を向ける必要があります。この観点からすれば、全体の壊滅を救うために、軍事、環境、教育、すべての問題を共通の視点からとらえ、そのなかで私たちの閉じたエゴイズムをたがいに抑制し、世界と国家と家庭・個人と結び合う原理を新たにつくりださなければりません。ここに今日の教育のもっとも重要な共通の課題がある、と申せましょう。このことを強調して、私の話を閉じたいと思います。

日教組への期待と要請——身をもって根本的な発想の転換を

最後にこの機会をかりて、草稿にはまったく予定していなかった一種の感想ふうの補足をつけさせていただきたいと思います。

きょう述べてきました平和への道、それは世界規模での軍縮であり、何よりも核全面廃棄をともなわなければなりません。核兵器を禁止するというだけでは、それがもっとも安あがりでもっとも有効な手段であるがゆえに、おそらく他の兵器・他の軍備をもっては防げないという側は、絶対に核の廃棄を拒否するでありましょう。したがって、核廃棄は全面軍縮に必然的に結びつかなければならないのでありますが、おなじように公害の問題も教育荒廃の問題も、トータルなものとしてそれを解決する方向にすすめていかなければならない。

そして、そのいずれについても、決定的な役割を果たすのは、教育であります。それだけ教育関係者は、ほかのだれにもまして、閉じた〈各論〉をすてて、高次の理想を身につけなければならないはずであります。ところが、現実には、平和あるいは軍縮への道を可能にする最大のにない手である日教組の中には、いままでのべてきたような閉じたシステムの〈各論〉的行動原理が働いており、日教組じたいその内部に政界や財界などとおなじ問題をかかえていることを、直言しなければならない状態にあるようであります。

端的にいいまして、平和・軍縮への道の最大のにない手たるべき日教組が、政党・派閥の論理をそのなかにもち込んで、ともすれば〝一人の生徒をも落ちこぼさない〟という教育の原点さえ忘れがちな抗争にはいっているとみられることは、今日の厳しい状況の中で、民主教育の建直しについて日教組に期待をし、平和をつくり出す道をともに歩んでいこうとするすべての人びとにとって、遺憾しごくのことであります。

これによって決定的な損害をこうむるのは、一日教組にとどまらず、平和であり民主主義であります。私たちの立っている民主教育の基盤そのものであります。こういうことが〝わかっていながらやめられない〟とすれば、それはまさに、軍事を推進してきた論者、あるいは教育の荒廃をすすめてきたそれぞれの人びとと非常に似ているのではないだろうか。外側から見た私のこのような感想が、まとはずれな誤解だとすれば、むしろ幸いであります。

くりかえし述べてきましたように、現在の人類が共通の課題としている平和、公害のない社会、明るい教育ができる自由な社会、こういう普遍的目標にたいして敵対的なすべての諸勢力がとってきたものの考え方は、国家や企業など閉じたシステムの閉じた小さな利益でありますが、教育者がこれとまったく同質の発想によって、教育の理想のみならず、民主的生存の基盤をも失うようなない き方をするとすれば、これ以上愚かな選択はありません。

このような事態は、教育の本旨からいっても、また、平和を追求し民主主義を実現していく目的からみても、許しがたいあり方というほかありません。対立する双方の人びとが、それぞれに真剣であり、まじめであっても、いやそうであるほど、そういう行動原理をもち込んで、内側でたがいに多大なエネルギーを損耗し、そのぶんだけ、平和と民主主義のための教育を後退させるとすれば、これは、国民にとっても、平和にとっても、ひいては人類にとっても、「暴力人」と同じ根本的なあやまちをおかすということになりましょう。

私はそういう点において、他の誰にも増して日教組から、根本的な発想の転換を身をもって実現していただきたいということを、この機会をかりて直言しておきたいのであります。そのことによってのみ、私たちの共通の課題である平和への道の展望が開けることになりましょう。逆にこの最小限の前提を達成しえない場合には、わが国の平和勢力の中心をなす大きな一角が、その内側から崩れ、壊滅への道をたどらざるをえないということも、ここでおそらく確言してもよろしいでしょう。そのような悲劇的な道とは反対に、まさに私たちの共通の課題に向かって、ほんとうの意味での連帯をつくりだしていきたいものであります。——余計なことをつけ加えましたが、意のあるところをくんでいただければ幸いであります。

第二部　日本における国家と教育

第4章 教育権の憲法的考察

I　日本国憲法と教育権

1　「教育」＝学習権の体系的把握への序説

はじめに――

戦後日本の教育法理論は、きびしい政治＝社会的緊張のなかで、戦前には考えられないような発展をとげた。その背景には、国権との抗争過程で、「国民教育」の確保と前進をめざす運動の、長い苦闘の歴史があった。法的実践の面においてもまた、多数の教育裁判の場で民主教育を守るために、理論作業が否応なしに要請された。そしてさらに、そうした実践的課題に応えて、当初は少数から出発ししだいに幅を広げていった教育学者と法学者との学際的協力があった。これらの諸条件の累積のなかに、大きな成果として杉本判決が得られ、教育法学会の誕生がみられ、そのそれぞれがまた、教育法理論の広がりと深まりを促す大きな要因となった。とりわけ杉本判決は、教育権に関する認識と理論の前進に、文字どおり画期的な意義をもつ記念塔であるといってよい。教育法理論はこの判決を境目にして、新しい段階に入ったとみることができる。

杉本判決およびそれを支えた教育法理論の特筆すべき成果は、何よりも子どもの学習権を中枢にすえて、「教育権」の意味を再構成し、「教育の自由」に確乎たる基礎を与えたことにある。いうまでもなくこれは、「国の教育権」の主張の下で教育の国家統制をおこなってきた政府＝文部省の立場と相容れないものであり、公権力の承認をたやすく受けることははじめから期待されえなかった。しかし、学習権の意味と論理は、これを全面的に否定することは不可能である。政府寄りの姿勢が濃厚な最高裁でさえ、その本質的部分を認めた（昭和五一年五月二一日判決）のも、この理念の妥当性をよく示しているといえよう。学習権論はそのかぎりで、これからの教育裁判にも、重要な役割を果たしていくことはまちがいない。

ともあれ、このようにして徐々にでも、教育界のみならず国民の広い部分に、学習権を中心にした「国民の教育権」の意識が拡がるに従って、教育の状況も大きく変わっていくと思われる。その趨勢は、――一方において反動強化の徴候が顕著であるにもかかわらず――おそらく防ぎとめえないものであろう。

ただ、杉本判決にしても、先端的な教育学説にしても、十分に精錬された理論や、広汎な国民にアピールする内容をもった説得的な体系を完成しているわけではない。基本的な方向は正しくても、その論理の筋道やそれを運ぶ重要な諸概念などについて、掘り下げた検討を要する点が少なくないように思われる。教育法理論のこれからの課題は、これまでの成果を無条件の前提として、その上に解釈学体系を築くことではなく、杉本判決の基礎石とされている部分までとり出してそれに不断の再検討を加えながら、理論の前進を計っていくことにあろう。

憲法の側からのアプローチに限定しても、親の教育権と教師の教育権との関係、教育の自由の憲法的根拠およびその範囲、学問の自由と教育の自由との関連、教育行政の憲法的枠組(教育のいわゆる「外的事項」についての行政権限)などについて、右のような意味での再検討はこれから本格的になされなければならない。それに加えて、司法と教育、立法と教育の諸面でも、具体的なイッシューが絶えず出されている今日、それらとの取組みで、教育の自由を確立していくための積極的な立論が必要となる。そのためにもまた、人権としての学習権と教育権を憲法体系のなかにどのように位置づけるかという素朴な原理的問題についても、あらゆる立場から十分な議論がなされなければならない。

このような基礎作業から出発して、憲法秩序における教育の課題と役割を考察しながら、憲法二六条という条規に限定されない憲法の体系的解釈を推進していくことが、憲法学に托された仕事となるだろう。ここではさしあたり、右の課題に答えるためのステップとして、若干の覚書き風の——ただし、出来るかぎり体系的な——コメントを試みるものである。

問題への視点および視角の限定

民主社会における教育は、世界人権宣言が謳い上げているように、「人格の完全な発達と人権及び基本的自由の尊重の強化とを目標としなければならない」(二六条二項)。わが国の憲法における教育理念もこれと同じであることは、「憲法の精神に則」った教育基本法の第一条の示すとおりである。

他面で、しかし、あらゆる国において教育は、次代を担う国民を養成する手段として、国家の最大関心事となり、それぞれの統治体制に見合った憲法的規定を受けているのが普通である。東西・左右いずれの陣営でも、国家の運命と利害をかけた事業として、多大なエネルギーを傾け、その体制価値からみて「よい国民」――高い知能や技術とともにその国に対して忠誠心をもつ国民――の育成に熱意を入れている。

ナショナリズムや種々の世界観と結びついた、このような国家的な教育の営みは、時として前掲の民主的な教育理念と真向から衝突することにもなろう。そうした不幸な対立は、多くの場合――より不幸なことに――強大な実力装置と行財政権能を有する国家の利益の優越に終わるのが、現実であるようにみえる。そして、このことは、国家の存立や栄光を守るという国家理性が問題になる場面で、もっとも鮮明に浮かび出る。国の存亡に際して、通常の法の枠組を超えた緊急権が発動されるように、ぎりぎりのところでは国家理性が、人権をも含む普遍人類的な理念をも押しのけるであろう。それは、個人の生活においても、生存と文化価値が二者択一になるとき、多くの場合、前者（食や性の本能）が後者（たとえば芸術的要求）に優先するのと、かなり似ている。

しかし、長い眼でみれば、狭いシステムとしての国家の理性が、より広い高次のシステムとしての人類の理性に優越することはないであろう。――おそらくは、当為として〝そうあるべきでない〟というだけでなく、歴史的事実としても〝そうでない〟ことが、しだいに明らかになるに違いない。部分的局面ではつねに、より狭小な（そして低次の）システムの利害の方が強いにもかかわらず、歴史の舞台では、弱いはずの高次の理念は消えさることなく、徐々ながら勝利するというのが、世界史の道程だったといってよいだろうからである。人間に真の意味の進歩があるとすれば、それはこのように、「閉じた」ものから「開いた」ものへの発展に見出されるにちがいない。

範囲と方法の限定

もちろん、この長期の展望は、理念を棚上げにしがちな現実に対して、楽観的な慰めを与えるものではない。いわゆる民主社会においても、タテマエとしての理念が、たえず現実に歪められがちなことは、教育にかぎらず政治社会の生活の万般に通じる日常的な現象でさえある。民主教育の理念は、この意味でつねに政治社会の現実と、いわば不断のシュパンヌンク（緊張）の関係にある。このことを視野の中心に置いたうえで、日本の憲法秩序のなかにおける教育の位置づけを考察するのが、ここでの課題となる。

ただし、あらゆる角度からのアプローチはここでは断念して、方法と範囲を次のように限定しておきたい。すなわち、問題の範囲は原則として、憲法とりわけその価値理念としての人権の体系との連関に限ることにする。憲法と不可分の教育基本法についても、また憲法の人権以外の諸問題についても、ここでは最小限にリファーするにとどめる。

なお、考察方法としては、総括的部分を除けば、原則として教育の内容および条件としての憲法的価値を眺めるという視角で、いわば教育の側から憲法秩序のなかでの教育のあり方を考えていく、という手法を試みてみることにする。もちろんこのように限定しても、ここで取り扱う個々の問題は、たとえば平和教育、平等の教育、主権者教育などどれをとっても、多様かつ困難な問題を抱えた大きなテーマであって、覚書き風の小稿ではそれらの入口から問題性をのぞき見する程度しかできないであろう。ただ、こうした逆説的な視角からの考察が――同時に出来るかぎり体系的になされるならば――真正面からの憲法解釈とは違った憲法＝教育連関を浮かび上がらせるのに役立つように思われる。

2　教育権の憲法的位置づけ

教育権を憲法体系の中でどう位置づけるか

個別の問題に立ち入る前に、日本国憲法の体系の中における教育権（本項においては学習権を含む）の位置を確認しておく必要がある。周知のとおり、憲法は、教育についてはわずかに第二六条一箇条を置くだけで、それに関係ぶかい第二三条（学問の自由）をあわせても、比較的簡単な規定をしているにすぎない。第二六条を見ても、教育の機会均等に関する一項と義務教育に関する二項だけから、教育の憲法的理念も位置もあり方も、直接にはうかがえない。宗像氏のような教育学者から、〝憲法学者は二六条の行間と紙背に徹する読み方をすべきだ〟という提言が出されたのも、一面ではもっともな要求だといえよう。

結論から先にいうと、この条項だけからストレートに、学習権をはじめ憲法上の教育理念を引き出すことは、精巧な概念法学の手法をもってしても困難である。それどころか、専門の憲法学者たちの間でさえ、第二六条の教育権の規定の位置づけは必ずしも一致せず、しかもそのことについて根本的な反省がなされなかったように思われる。

やや形式的にすぎるが、便宜上、若干の代表的な憲法概説書をとって、教育権をどのように位置づけているか見てみよう。多くの著書は、第二六条の憲法上の配列——第二五条の生存権の次、第二七条・第二八条の労働権の前、という配置——に従って、「教育を受ける権利」をいわゆる社会権の系列の中に置いてきた（宮沢俊義・橋本公亘・小林その他)。受教育権は〝生存権の文化的側面〟あるいは〝社会権の一種の文化的権利〟だ、という性格規定(佐藤功・佐藤立夫・山本浩三ら)は、そうした考え方の代表的なものであり、またこれを国務請求権(佐々木惣一)や受益権(清宮四郎)だとする説も、類似した考え方だとみられる。こうした見方に対して、種々の批判(有倉遼吉・永井憲一・長谷川正安ら)があり、さらに積極的に教育権を精神的自由権の系列で捉える見解(覚道豊治)もある。たしかに、従来の通説的見解――その中には私も含まれていたが――はいささか単純にその社会権的側面だけを強調し、自由権的意味に十分な理解と評価を与えなかった嫌いがある。それにもまして、教育権をとくに子どもの学習権という側面から積極的に捉えなかった点では、『註解日本国憲法』を始めとする在来の通説の不十分さは、大いなる反省を必要とするといわなければならない。

自由権と社会権の双方の場にまたがる権利

憲法第二六条が社会権的意味を濃厚にもつことは、通説の見てきたとおりであるが、同時にそれは、現代の新しい状況のなかで、古典的な自由権をいっそう積極化させた意味での精神の自由の要請をも内在させているとみるべきであろう。すでにフランス革命期にコンドルセが説いていたように、学校教育においては、憲法や人権規定でさえも「崇拝し信仰しなければならない神からの賜わり」のようなものとして教えられない(『公教育の原理』)はずのものである。あらゆる権力や偏見からの自由は、学問研究のそれだけでなく、「真理教育」の場でつねに自覚的に保証されなければならない。憲法学の領域で、この点の再確認が、杉本判決に至るまで十分かつ広汎になされなかったことは、遺憾とすべきである。

おそらくそれは、憲法第二六条の条文の位置と文言にとらわれすぎて、憲法および教育基本法の全体にわたる真の体系的理解を欠いたからであろう。今日では、第二六条はそれ単独ではなく、第二三条の学問の自由、第一四条の平等規定、第二五条の生存権のほか、第一三条の幸福追求権、さらには第一条や前文の国民主権規定等との綜合的な連関のなかで体系的に解釈することが、ようやく自覚的におこなわれはじめるようになっている。そのようにしてはじめて、「行間」を読んだり、「紙背」にまで眼光を徹したり、アプリオリな教育「本質」論を持ちこんだりしなくても、いわば憲法内在的に民主的な教育権理論を構築できるといえよう。

先にも述べたとおり、本稿は右のような憲法全体にわたる体系的解釈を、正面からおこなう方法をあえて避けて、視点を逆に教育の方に移行させ、広い意味の――つまり「社会科」というカリキュラムに関わりのない全人格的教育における――憲法＝人権教育の面に重点を置いて、そこから憲法と教育の内的連関を考えてみることにする。憲法の価値理念としての人権は、政治的秩序にとってだけでなく、民主社会の全生活関係での指導理念であり、とくに教育においてはあらゆる段階を通じて学ばれ生かされるべきものである以上、このアプローチは決して的はずれではないだろう。

教育の基本理念＝「人間の尊厳」

民主教育が何よりも社会の全成員の人格の完成をめざすとすれば、その中枢の理念は、「人間の尊厳」にあるといってよいであろう。私自身は、あらゆるものを疑う学問（哲学）においては、「人間の尊厳」という思想もしくはイデーそのものも根本的な懐疑にさらされうるし、むしろ、あらゆる懐疑や否定に耐えうるかどうか十分に検討されなければならないと思っている（拙稿「人権理論の根本的検討」公法研究三七号参照）。たとえば、動物としての人間が何故に――食物連鎖の最頂点に位置して――他の生物を当然の権利のように殺すことができるのか。あるいはまた、他のどんな動物よりも悪虐・残忍・陰険・邪悪な性向が、もしも人間の「本性」に属するとすれば、それらをも含めて「尊厳」という位置づけを人間自らがごうまんにも為しうるのかどうか。そうした自己規定は、人間という種族の排他的エゴイズムの表現にすぎないのではないか。……

これらの問題は、物事を根元的に考える人びとの、共通の疑問であり、人間主義（ヒューマニズム）は少なくとも一度は、この問いと直面すべきであろう。教育の現場においても、人間の発達過程のある段階（たとえば大学院または大学レベル）では、教育課程のなかでも進んで考究・討議されるべきものだと私は考える。ただ、そうしたあらゆる疑問にもかかわらず、人間が「尊厳」の呼称に値する可能態であり、それぞれの人格と生命の尊重を要する価値的存在であることは、おそらく教育が予定してよい基本の出発点であろう。同時にこの可能態は、教育がめざすべき原理的な価値目的でもあるといえよう。子どもたちが親や先生よりもより大きな創造と進歩の可能性を引き出されていく、という教育の仕事じたい、そうした人間存在の独特な意味を示す一証左であるといえる。

さまざまな矛盾や悪性を包蔵しながら、それらと闘って無限の価値の高みに上昇できる人間のすぐれた可能性こそ、人間の尊さの意味なのであろう。教育の主要な狙いは、つまるところこの可能性をみずから開発できる――生あるかぎり自己教育によってみずからを進歩させうる――ように育てていくことにあるといってもよい。「教育とは人間の尊さを打ち立てることだ」、「教育が拠るべき原則、教育が奉仕すべき最高の目的は、人間の尊さを打ち立てること、である」という一教育者（宗像誠也『私の教育宣言』）の言葉は、右のように解したときはじめて積極的意味をもつであろう。

　こうした人間存在の根底に関する教育の作業は、国家権力（その担い手としての政治家や行政官）が為しうることではなく、国家はただ、人間の尊さに仕える必要条件の整備につとめる責務を負うにとどまるべきである。教育の任務を担う親と教師こそ、人格と生命の尊厳の意味を――言葉だけでなく行動をもって――子どもに教え、やり直しのきかない「唯一」の人生、かけがえのない「唯一」の個性を大切に育てるよう、不断の働きかけの仕事を引き受けねばならない。

3　教育の平等と自由の権利

人格の平等性は、教育の原点である

　ところで、人間の尊厳の原則は、憲法の保障する生存権（社会権）と自由権の基礎をなすとともに、すべての人格の原理的平等の原則と不可分につながっている。具体的な人間相互の間には、品格や知性や能力などの点で高低さまざまの違いがあるけれども、人格一般としてはいずれも平等であるということが、民主主義社会の信念である。今日でも現実の世界では、南アフリカのアパルトヘイトをはじめ、白人優越の人種的差別は至るところにみられるし、どの社会にも偏見に基づく何らかの差別観が残っている。にもかかわらず、――いや、それだからいっそう――あらゆる教育の場で、いわれのない差別を克服していく努力が求められるのである。

　憲法（一四条）のいうように、「人種、信条、性別、社会的身分又は門地」などによって、人びとを

差別してはならないことは、国家権力（の担当者たち）だけに命ぜられるのではなく、すべての国民（さらには全世界人民）が人間らしい生き方をするための基本条件として確認していくべき大原則である。それは、人権とか平等権とかの用語を用いうる年齢以下の幼年時代から、あらゆる機会に教えこまなければならない。

思うに、個人にしても国民にしても、不当な差別観を抱くものは、その品格や民度の劣悪さをみずから示すものであり、他者に対する差別によって、みずからもまた「尊厳」に値する価値をもたない疎外態であることを実証しているに等しい。この意味で、人間平等の原理は、個人や国家の出来の良し悪しを示す尺度にもなるのである。

教育内容としての自由権

「人間の尊厳」はおそらく、人間を拘束する自然や社会の諸障害や桎梏（しっこく）から人間を解放し、自由にしていくことによって実現されるといえるだろう。人間がもつ発達可能性を引き出し、豊かな個性を伸張させることは、低い次元から高い次元に――たとえば、もっぱら自然の欲望や条件に支配されている状態から、精神の創造的価値を追求する生き方へ――解放を進めていくことである。社会生活についても、同じことがいえる。人間が暴力的に他者を奴隷にしているような状態から、すべての人間が自主的な主体であるような方向に進むことが、「進歩」であり、自由への歩みである。精神の本質は自由であり、精神が自由になることは自己自身に還帰することだ、というヘーゲルのいい方を借りれば、「自由」になることは人間の本来の在り方への還帰にほかならないともいえよう。

しかし、自由になることも、またそうなるように教えることも、言葉でいうほど容易な仕事ではない。ひとつには人間が、時代や環境の子であって、その強い影響下で持つに至った偏見や思考様式から脱却することは、至難のわざだからである。またひとつには、自由がたんなる無拘束や主観的恣意ではなく、むしろそれらとは対極にあるような弁証法的性格のものであることも、「自由」の理解に深い知性や体験を必要とするからである。自由はたしかに、何らかの（低次な）拘束「からの」解放を意味するけれども、人間が人間として共生し幸福になりうるために必要なある種の規律やルールは、自由と矛盾しないどころか、むしろ高められた自由と不可分でさえある。

そういう高度の認識に達するずっと以前の段階でも、「自由」の教育のパラドックスがみられる。幼年期こそ、「わがまま」や「甘え」という、みせかけの「自由」にかえて、人びとが従うべきルールの最低限について、まさに強制的に学習されるべきだからである。〝自由たるべく強制する〟という逆説は、小児の躾に典型的におこなわれなければならない。

これと関連してさらに、個人の自由は、他者の自由を認め、相互にそれを尊重しあう場合にのみ、永続的に成り立つであろう。他者の自由を否認したり蹂躙したりする者の「自由」は、力によってのみ通用する恣意であって、より優越した力の下には屈従せざるをえない偶然的なものにすぎない。

自由は、教育の目標であるとともに、その方法たるべきである

自由のそうした本質的意味は、ルソーやカントやヘーゲルたちだけでなく、フランス革命期の憲法にみられるとおり、近代の指導者たちの多くに知られていたはずである。「自由は、他人を害しないすべてのことをなしうることに存する」（一七八九年フランス人権宣言第四条、ジロンド憲法草案の宣言第二条、山獄党の宣言第六条など）という規定は、このことを端的に示している。ただ、それにもかかわらず、現実の社会過程では、経済競争におけるエゴイズムや搾取、階級闘争や政治的抑圧などが示すとおり、「自由社会」の名の下にはなはだしい大量の不自由が生み出された。この「自由社会」の虚偽と反人間的構築物を打ち壊して、新しい「自由の王国」（マルクス）を招来しようとする社会主義もまた、それを実現した国々での思想・表現の自由や政治的自由の抑圧もしくは剝奪が物語るとおり、その現実形態にみられるかぎり、「真の自由」からはまだ程遠い状態である。

人間として自由になること、自由たるべく教えることの困難は、このように政治社会の現実のなかにも、部厚い壁のように立ちふさがっている。また、自由の権利が、一見それと矛盾するような内的規律と不可分の一体を成すことを理解させるのも、容易な仕事ではない。「自由」の教育は、これらの現実そのものをも教材としながら、着実に根づよく、子どもの自律と創造性を育てていくしかないであろう。

なお、思想・表現の自由をはじめとする諸種の自由権は、子どもたちに知識として憶えさせるだけではなく、親も教師もその他の社会人も、みずからの自覚的な日常の実践を通じて、むしろ体験的に次代に受けつぎ増大させていくべき価値である。それらはまた、教育の目標であり内容でもあるとともに、民主教育を支える基盤であり、また後述するとおり教師にとっては教育上の方法の原理でもある。「自由権」の自覚をもっぱら社会科や憲法の教課に属せしめるような狭い見方ほど、誤った考え方はない。

4　教育の社会権的側面

教育の前提としての生活権

人権としての学習権にふさわしい教育は、いくつかの基本的な前提条件の充足を必要とする。民主教育が「人間の尊厳」を実証し、各人の人格を高め、よき可能性を開花させていくためには、何よりも、学ぶ者にも教える者にも、豊かな生活権が保障されなければならない。すべての国民が「健康で文化的な最低生活を営む権利を有する」ことは憲法（二五条）の明記しているところであるが、これはそのまま、教育の基本条件の第一に挙げられよう。

生活の最低限が保障されていないような家庭や社会で、豊かな人間性や創造的な知性を育てることは困難である。それどころか、栄養にも事欠ける子どもたちは、文化価値以前の肉体の条件さえ奪われるだろう。幸福追求権（憲法一三条）と不可分の健康権さえも侵害されるようでは、同時に学習権も大幅に損われざるをえない。国の責務として憲法二五条に規定された「社会福祉、社会保障及び公衆衛生の向上及び増進」は、教育全般のためにぜひとも実現されなければならない。

一般の人びとが相当な生活レベルに達したとき、特別かつ至急に配慮を要するのは、自然にせよ社会的にせよ片手落ちに不利な状態に陥れられた人びとに対する配慮である。経済変動や社会的偏見が生んだ諸々の不平等や差別は、しばしば子どもたちの生存権をも学習権をも奪うことになる。僻地、過疎地、都市のスラム地区、「同和」地区などにおける福祉施設のすみやかな拡充が要請されるゆえんである。さらに社会連帯による福祉の充実がとくに望まれるのは、さまざまな障害児である。身心の諸障害に苦しむ人びとが（児童も成人も）、「能力主義」によって歪められたこの競争社会で、どれほどみじめに打ち棄てられてきたことか。

国家や企業に奉仕できる「能力」だけで人間の価値を測るようなところでは、人間の尊厳が無視されるのも当然であろうが、そういう弱い人びとを棄民にするような社会は、「福祉国家」でも「文化国家」でもありえない。「自然」によって差別された人びとには、人間の連帯によって支えを与え、生存と学習の権利を享受できるようにしなければならない。――国家や地域や周辺の人びとによるそうした配慮はまた、そのままに一般の子どもたちにとって生きた教育ともなるであろう。

教える側も、当然に生存権を主張すべきである

生存権の積極的な保障は、教える側の人間にもむろん必要である。教育にたずさわる人びとは、それぞれに、労働者・生活者として働く者の権利を有するとともに、人間の創造的能力を開花させる教育という特別な仕事にふさわしい待遇が与えられなければならない。教育の特別な専門性に対するこの認証と評価は、重い負担と軽い賃金を教師に押しつける政府の「聖職論」とは異質である。

人間を育成する教育という作業は、物の製造とは違う格別の重い責任を帯びた仕事であり、「厳しい継続的な研究を経て獲得され、維持される専門的知識および特別な技術を教員に要求する公共的業務の一種である」（ＩＬＯ・ユネスコ『教員の地位に関する勧告』一九五四年）。そうした研究や知識や創造性を求められる教師たちに、その本務以外の余計な負担をかけたり、みずからの生活への配慮に追われたりすることのないよう、教育を付託した国民の側から、その地位にふさわしい生活の保障をすべきであろう。

この当然の生活権の保障に欠けたとき、そして具体的な雇傭主と教員との間の雇用条件をめぐる紛争解決の手続がいきづまったとき、「教員団体は、他の団体がその正当な利益を保護するため普通もっているような他の手段をとる権利をもたなければならない」(ILO・ユネスコ上掲『勧告』)。教師の聖職論とか、公務員の「全体の奉仕者」論などを持ち出して、教員が持つべきこうした権利を否認することは、労働権の無視であるばかりでなく、教育の仕事に対する認識の欠如をさらけ出すことにほかならない。

前提としての教育環境権

広義の生存権のコロラリーをなす「良好な環境を享受する権利」(環境権)が唱えられ求められている今日の状況は、教育にとっても重大な問題を提起している。光化学スモッグや媒煙によって健康を損ねられた児童たち、騒音のために授業も満足に受けられない学校など、公害によって直接に教育の前提条件さえ奪われている事例が続出しているからである。企業の盲目的な利潤追求や現代の生活様式から生じた環境破壊は、間接的な被害まで含めると、至るところで教育の基本条件をも脅かしつつある。都市化の進行は、地価の高騰とも相まって、子どもたちの成長に必須な遊びの場所を奪い去り、汚い空気や交通禍の危険にさらされている。

二〇〇年以上も前に〝自然に帰れ〟と叫んだルソーは、――環境破壊とは別な文脈においてだが――

「子どもたちがあなた方から受けとる最初の贈り物は鉄鎖であり、彼らが経験する最初の待遇は、責め苦である」(『エミール』)と述べている。この言葉は、何よりも、受験地獄と環境破壊の二重苦を子どもたちに加えている現代日本の成人どもに、そのまま贈られる誡言であろう。とにかく、自然を奪われている子どもたちに、少しずつでも自然をとり戻してやり、現に進行中の環境破壊にストップをかけて、子孫の生存のための条件を保存することは、現代人の最大の責務になっているといわなければならない。

教育環境権は、自然の回復にとどまらず、――部分的にはそれと矛盾するようにもみえるところの――種々の教育施設の充実をも要求内容として含んでいる。学校のほか、図書館・博物館・科学館・公民館などの文化施設、公園や体育館・競技場などの体育・リクリエーション施設、身障者のそれを含む職業訓練所や教育相談所などが、小さい単位の自治体ごとに設置され、児童から老人に至るすべての国民の学習権を充足するように、機能的に考案されなければならない。

おそらくこれは、先に述べた生存権のための諸施設――保健所・医療センター・病院などの保健衛生のそれ、母子住宅・老人クラブ・障害児施設などの福祉関係のそれ――と有機的に組み合わされるべきであるから、教育と福祉・文化の全面にわたる生活圏としての地域コミュニティの綜合的計画を必要とするであろう。児童にかぎらず、それぞれの地域社会の全市民の学習権の平等な保障のために、大小さまざまなシステムでもっとも有効に用いられるよう諸種の施設を組みあわせていくには、高度の人間＝社会工学に基づく計画化が必須だからである。

住民参加による環境改善

右のような教育＝文化上の環境権の具体化としての生活圏計画は、科学性とともに、地域住民の積極的な参加とその多数者の合意に基づかねばならない。学校などを中心とする教育環境計画は、父母たる住民と教職員との協力を最小限のコアとして成り立つだろうが、それをもっと広汎な文化生活圏のなかでシステム的に考案し実現していくには、自治体をはじめ地域社会にある諸企業・労組その他の職能団体、個々の住民などの多種多様な諸利益や意思の統合や調整が必要になる。

複雑な利害関係が絡みあい衝突しあう都市部などで、そうした調整がいかに困難であるかは、東京都のゴミ処理場や成田や大阪の空港の問題などに象徴されているとおりであり、民主的な話合いや参加の原則だけでは処理しえないものも少なくない。それだけにいっそう、それらの問題は、知る権利や表現の自由、市民の参政権や時には抵抗権などの憲法的権利を自覚的に駆使する市民の間で、科学性と民主的手続を十分にふまえた方法を通じて解決されていかなければならない。教育の前提としての環境権は、このようにして現代社会の人間関係のネットワークと入り組んだ憲法的諸権利の仕方に大きく依存しているのである。

5　平和教育と主権者教育

平和と教育――平和的生存権の確認

さきに生存権およびそのコロラリーとしての環境権について述べたのと同じように、――むしろそれらにも先行して――教育の基本条件として「平和に生きる権利」(日本国憲法前文)が保障されなければならない。現代のジェノサイドの能力をもつ軍事技術による戦争とくに核全面戦争は、人類がどうあっても防止しなければならない、生存のための第一次的条件である。そういう壊滅的戦争でなくても、国と国との武力抗争は、双方の教育をスポイルしないではおかない。いや、戦争に至らない軍事対立下の国際緊張でさえも、互いに仮想敵国となる国民どうしの間に憎悪や偏見を生み出したり、あるいは軍事優先の政策によって教育を偏らせたり貧しくしたりするだろう。

一人一人の生命を大切にするという民主教育の第一原理からいえば、人類の相互理解を妨げるいっさいのミリタリズムは、教育を脅かす最大の元兇となるといっても過言でない。「兵器文化」の栄える中で、人間の尊厳に値する教育を進めることは不可能である。少なくも、戦争によって生命や安全を奪われない権利は、大多数の世界の人民の心からの願望であるといえよう。過剰殺戮の道具をかかえた二〇世紀後半の人類は、自由・平等の権利にも先立って、平和的生存権を求めざるをえない羽目になっているのである。

平和の価値は、教育を成り立たしめる前提であるだけでなく、また同時に現代教育の主要な内容として、積極的に教えられ学ばれなければならない。何よりも教育こそ、人びとにこの価値を知らしめそれを通じて平和の条件を作り出すことができる最良かつ不可欠の手段だからである。偏狭なナショナリズムや盲目的なミリタリズムによって、諸国民が戦争に駆りたてられないようにするには、各国で世界に向かって窓を開き、相互理解を深めていくことが必要である。〝戦争は人びとの心のなかに始まる〟という有名な言葉は、たしかに一面の真実を語っているが、各国民の心のなかから偏見や憎悪や誤解の芽をとり去って、すべての人間が平等に幸福追求の権利をもつことを教える作業は、そのまま平和教育となりうるだろう。子どもたちにすべての人間の生命の尊さを教え、自由な主体となるように導くこととじたい、平和の基礎をつくるのに役立つからである。

現代は、しかし、こうした民主教育に加えて、より積極的に平和の価値を認証させる努力が必要である。このナショナリズムの時代においては、放っておけば国益論が人類の視点を押しのけ、「祖国愛」や「国家の栄光」が人類愛に優先する。人類の一員として各人が「平和に生きる権利」を有するという自覚を作り出すのには、平和教育のための世界的協力を欠くことはできない。これにはまず、平和に対する教師の自覚とそれを促す教職員の組合運動が、重要な役割を果たすだろう。

平和憲法をもつ日本では、平和教育は格別の意味を帯びるはずである。憲法前文と第九条を受けて教育基本法もその前文で、われわれが「世界の平和と人類の福祉に貢献しようとする決意」を再確認し、「個人の尊厳を重んじ、真理と平和を希求する人間の育成を期する」ことを明らかにした。教育の目的を定めたその第一条のなかで、「平和的な国家及び社会の形成者として」の国民の育成を期すべきと述べたのも、平和憲法の精神を教育の中心に据える趣旨にほかならない。これはいうまでもなく、旧日本帝国の軍国主義の独善と暴虐による苦い体験に学んだ結果であるが、メガデスの軍事技術をもった現代では、文字どおり普遍的な意義を有する教育観だといわなければならない。

遺憾なことに、日本の再軍備とともに息を吹きかえした軍事思想と自衛隊強化の政策は、憲法第九条を空洞化させ、平和教育を陰に陽に抑圧し、教育基本法の理念をも棚あげするまでに至っている。平和教育の意味とその必要性は、しかし、この現実にもかかわらず、減退するどころかむしろますます増大する一方である。日本国民のみならず人類の生存をも賭けた平和教育の灯は、どんなことがあっても消してはならない。それは同時に、日本の憲法秩序の存続の基本要件でもある。

主権者教育について

冒頭にも述べたとおりあらゆる国の教育は、次代の「健全」な国民の育成をめざすであろう。問題は、その「健全」さの意味内容だが、民主国家の人間像は、専制支配者のそれとは違って、「真理と正義を愛し、個人の価値をたっとび……自主的精神に充ちた」（教育基本法一条）国民である。今日よりももっと解放された明るい未来の創造的文化を作り出していくには、そのような健康な自主的国民を必要とする。杉本判決もいったとおり、民主国家は、自覚的な国民の存在を前提とするのである。民主主義教育――リンカーン式用語法でいえば「国民の・国民による・国民のための教育」も、内容からいえば教育基本法の掲げる人間像に帰着するだろう。いうまでもなくそれは、国家による「人づくり」政策に乗った中教審の「期待される人間像」とは対極的なものである。

主権者教育論については、しかし、先にも多少ふれておいたように、注意すべき点がある。それは何よりも、「主権者たる国民」という言葉が、実体のない包括的概念であり、人びとが〃あるべき国民〃（ゾレンとしての国民といってもいいだろう）に仮託する意味は、立場によってさまざまに分裂するからである。具体的にみた（いわばザインとしての）国民は、異なった利害と意見をもつ人びとの集合にほかならない以上、「国民の教育要求」とか、「国民の教育意思」とかは、実際上統一しようもないような対立を示すであろう。リンカーンの図式による国民主権教育論も、現実にはたとえば政府と日教組の不融和な対立にみられるように、大きく二つに割れているのである。

形の上ではむろん「国家の教育権」を主張する政府（文部省）の側でも、国民主権原理を否認できるわけのものではないし、むしろ逆にそれを援用して次のように説いてきたことは、周知のとおりである。すなわち、代表民主制の建前にしたがえば、国民→国会→多数意思＝国民意思→政府→文部省→学校（校長→教員）という行政系列で、民意に基づく「民主的」な文部行政ができるし、それ以外に国民の教育権を実現する方法はない、ということである。この思考様式で、「国民の一般的教育意思を適法な手続的保障をもって反映しうるものは、議会制民主主義のもとにおいては国会のみ」だ、とした判決（昭和四四年仙台高裁）もある。こうした一見民主的にみえる論理が、じつは政治をストレートに教育の場にもちこむことによって、政治的な力で左右されてはならない教育を権力的に統制する誤りをおかすことは、先にも指摘したとおりである。

もちろん、教育の外的事項については――杉本判決が明快に判断したとおり――右の論理に従って、教育行政が「代議制を通じて実現されてしかるべき」であって、「国家の教育権」がこの限界を守るかぎり、それを頭から否定するいわれはないであろう。ただその場合でも、「国民の教育意思」の実現がすべて「法律に基いて運営される教育行政機関」に委ねられる、という前掲判決の思考は、一つの基本前提を抜きにしては、はなはだ危険な教育統制のロジックになることに、注意を換起しておく必要がある。

その基本前提というのは、法および政治の理念としての「国民の教育意思」は――現実としてのそれの多様性や分裂にもかかわらず――外ならぬ憲法と教育基本法の中に原理的に示されているということである。個々の議会の多数決で決められる意思は、教育に限らずつねに憲法の枠内で有効なものであって、その外にはみでた〃違憲〃の意思は裁判所によって〃無効〃を宣せられるべきことは、中学生でも知っている原則である。憲法および教育基本法の明示した教育の向かうべき方向が、個別の議会意思に優位して妥当する〃国民の教育意思〃の表明にほかならないこと、いいかえれば、〃国民の・国民による・国民のための教育〃は、その時々の議員たちの多数の決定によって動かされるべきものではなく、基本法の実現によってのみ具体化されうることを、われわれは不断に再確認していかなければならないだろう。

むすび

以上の論考は、初めにも述べたとおり、範囲と方法を限定した覚書き風の問題展望にすぎない。その射程はごく限られ、それぞれの問題の本格的な掘下げをおこない、憲法と教育の連関をより綜合的に捉えるには、なお各領域での多くの人びとの協業が必要である。なお、それぞれの問題領域での運動論や政策論は、それらを妨げる日本の政治社会の諸条件の分析をも必要とするから、それらもここではいっさい捨象するほかなかった。ただ、限定された範囲での問題の提示と憲法的意味連関の指摘を通じて、以下の三つのことが示唆されたとおもう。

第一に、今日の民主憲法は、教育基本法による補充と相まって、民主的教育のあり方に対する基本的な価値と目標を明示しており、教育者はその理解を通じて、日常的な研鑽と実践の指導を受けうるし、また受けるべきである、ということである。

第二に、教育の価値・目標としての人権は、憲法的自由にしても生存権にしても、それじたい教育の中核をなす学習権と不可分にリンクしており、同時にまた教師たちにとっても教育活動の実践的基盤をなす、ということである。

第三に、日本国憲法においては、人権の諸規定は、一方で主権原理と不可分であるとともに、どの国の憲法にもまして平和の価値理念と結びついている。民主主義と平和を教育に結合させる憲法をもっているという大きな事実を、国民と教師が日ごとの教育の場で自覚して、そのメリットを活かしたならば、日本の教育は人類普遍の目標に直結する素晴しい仕事になるであろう。

教育の自由や学習権を中心とする近来の教育権論は、右のような諸点における憲法的連関の認識を不断に拡大・深化させることによって、またそうすることによってのみ、さらに大きな前進を約束されると私は信ずる。

（教育の自由、親の教育権、国民の学習権などの基本概念の連関に対する考察として、この小稿の姉妹篇「現代教育における人権」季刊教育法第一一号または拙著『現代基本権の展開』第六章の参照が得られれば幸いである。）

II　教育権思想の史的概観

はじめに——

うえに見てきたように、今日の教育権は何よりも、民主憲法の人権体系の中に位置づけて、人間尊重の原理と不可分のものとして捉えられる。しかし、その具体的意味は、さらに次の三つの側面から考究されなければならない。第一に、日本国憲法が教育について直接に語るのは第二六条だけであって、教育の目的や方向などに関する原則との関係で教育権の意義を明らかにするためには、教育憲法ともいわれる教育基本法に即して検討する必要がある。

第二に、現行憲法における教育と教育権の思想は、それに先行し、かつそれと対蹠的な方向をとっていた明治憲法下における教育思想と対比し、これとのコントラストで歴史的に捉えられなければならない。一九四五年にはじまる国家の統治原理の転換は、当然に教育の理念と在り方の根本的変化を意味したはずである。この変化の歴史的意義の理解なくして、現行の教育法の正しい運営も、その前提としての教育権の把握もできないだろう。すぐ後でふれる国家的な教育権の思想も、旧体制と深くつながっているだけに、史的考察は重要な意味をもっている。

第三に、憲法および教育基本法の体系的理解から得られる教育権の理念は、それを無視し押しのけようとする現実な諸力との間に、きびしい緊張関係を生じている。逆のいい方をすれば、前者を担う民主的な諸勢力は、後者の信奉する国家主義的イデオロギーや古い人間関係とぶつかって、至るところで苦痛を強いられている。理念と現実のそのような軋轢のなかでも、とりわけ教育と政治（およびその結果を具体化する法的過程としての行政）との関わりは、教育にとって深刻な問題となる。教える者と学ぶ者との間のほんらい人格的な関係に、何らかの権力的干渉が入りこむとき、教育はそれによって重大な歪みを生ずるからである。

わが国の教育におけるこうした現実的な側面の考察は、とくに教育思想の展開を見るうえで不可欠である。以下、右のような諸点について、教育権をめぐる問題の歴史的な展望をごく簡単におこなっておくことにする。それはたぶん、今日の教育改革や教科書問題などを理解するうえに必要な最小限の、基礎的視点の設定に資することになろう。

1　新旧両憲法における教育の目的＝原理

憲法・教育基本法の教育目的

日本国憲法下の教育目的は、何よりもよく教育基本法のなかに実定的に表現されている。すなわち、その前文には、「個人の尊厳を重んじ、真理と平和を希求する人間の育成を期する」ことと、「普遍的にしてしかも個性ゆたかな文化の創造をめざす教育」への志向が謳われている。これを受けて教育基本法第一条は、つぎのように教育の目的を明示した——「教育は、人格の完成をめざし、平和的な国家及び社会の形成者として、真理と正義を愛し、個人の価値をたっとび、勤労と責任を重んじ、自主的精神に充ちた心身ともに健康な国民の育成を期して行われなければならない」と。この文言について、格別の注釈は不要であろう。人間の尊厳を重んじる民主国家の教育理念が、ここに集約的に表現されているということができる。

これに対しては、教育の目的や理念を法律で規定することが妥当かどうか、問題にされるであろう。教育の目的は、哲学・宗教・道徳等に深く関連しており、「教育に従事する者が、その良心と良識とによって、教育の過程において見出すべきものであって、法律をもって一般に規律しうべき事柄ではないのではないかと考えられるからである」（有倉遼吉『教育基本法』）。たしかに、国家権力が教育の理念を内容的に画一化したり、具体的な教育目的を枠づけて強制したりすることは、自主的・創造的な人格の形成を損うものとして、批判されなければならない。たとえ教育の自主・自由を謳うにしても、〃自由たるべし〃と法律で定めることは、一種のパラドックスにちがいない。まして国家が、教育上の徳目を羅列して、いわば上から教示することには、大きな疑問が残るだろう。

しかし他方で、平和な民主社会が、その形成者として「自主的精神に充ちた心身ともに健全な国民」の育成をめざすべきことは、当然であって、そのために必要な最小限度の要件を掲げるのは、国家による〈上から〉の価値強制とはいえないだろう。しかもそれは、むしろ逆に、個性ゆたかな人格の開発に不可欠な要件を示し、かつその「目的を達成するために」学問の自由を尊重し、自発的精神を養うよう（教育基本法二条参照）、民主教育の必然的な道筋を明らかにしている点で、教育における権力的統制の不可を宣示しているのである。だからこそそれは、専門の教育学者たちからも高く評価され、たとえば「教育基本法の精神を発展させたら、そこには世界歴史の現段階において最も完全な教育学が成立するだろう」（長田新編著『教育基本法』）とまで讃えられるほど、秀れた客観性をもっているのである。

明治国家の教育目的

右のような〈開いた〉民主社会の教育理念は、太平洋戦争における敗戦とそれに至る長い歴史的な体験を通じて、ようやくにして得られたものである。周知のとおり、「八・一五」まで支配した明治憲法の体系下では、「万世一系の天皇」統治の大原則が疑うべからざる原理としておこなわれ、教育もまたこれに合わせて「忠良の臣民」を養成する目的を荷わされていた。明治天皇が「皇祖皇宗ノ遺訓」として臣民に下した教育勅語は、日本のアンシャン・レジームの教育理念をもっとも鮮明に示している。「我カ臣民克ク忠ニ克ク孝ニ億兆心ヲ一ニシテ世々厥(そ)ノ美ヲ済(な)セルハ此レ我カ国体ノ精華ニシテ教育ノ淵源亦実ニ此ニ存ス」という「勅語」は、先の教育基本法第一条と互いに照応して、新旧憲法下の教育理念の質的な違いをくっきりと浮かびあがらせるであろう。そこに列挙された忠・孝・友などの諸徳目は、タテ型社会の序列を遺憾なく物語るとともに、つまるところ「朕カ忠良ノ臣民」を否応なく上から造型しようとする天皇制国家の教育意図を表わしている。

教育勅語は、臣民がそれらの諸徳目を身につけて「天地と共に窮(きはまり)ない皇位の御盛運をお助け申し上げる」よう（文部省『尋常小学修身書』昭和二年、巻六）教えさとし、「一旦緩急アレハ義勇公ニ奉」ずる義務を強調した。そこでの価値の原理は、個人人格ではなくて、「天壌無窮ノ皇運」であり、「臣民」

はもっぱらそれを「扶翼スベシ」と命ぜられる受動体にすぎない。そのもとでは「学問の自由」も、「真理」の探究も、「平和」の希求も、「個人の価値」も主張できなかった明治国家体制は、いうまでもなくきわめて〈閉じた〉支配の体系であった。教育の目的もまた――「斯ノ道ハ……之ヲ古今ニ通シテ謬ラス之ヲ中外ニ施シテ悖ラス」という豪語にもかかわらず――人間平等の尊厳を否定し、「尽忠報国」に帰一するよう万民を教化することにあった。

天皇の絶対的権威を上においたこの帝国では、人びとは幼少時からたえず、「よい日本人となるには、つねに天皇陛下、皇后陛下の御徳をあふぎ、又つねに皇大神宮をうやまつて、ちゆうくんあいこくの心をおこさなければなりません」（文部省『尋常小学修身書』巻三）と教えこまされた。国家と皇位の発展を第一目標とした旧体制で、尽忠報国の「軍神」たちが模範的人間像とされたのも、不思議ではない。「神聖比ナキ皇国」のために、〃水漬く屍、草むす屍〃たるを辞さない「忠勇無双」のツワモノが、金鵄勲章等の栄誉のシンボルで飾られた、帝国主義時代の英雄の代表的イメージであった。強大な権威との同一化に「献身」の喜びを見出す、〃臣民〃たちの「服従への心理的傾向」は、絶対天皇制のミトスが栄光に包まれていた頃には、こうした英雄像をそのまま聖化しさえした。

ともあれ、そこでは天皇崇拝の信仰と愛国のモラルとが一体として絶対的な教義とされ、つまるところ「身命ヲ君国ニ献ゲテ水火尚辞セザル」（『戦陣訓』）ような臣民を養成することに、教育の眼目が置かれたのである。

一九四五年の八月一五日を境目として転回した憲法的変化が、いかに根本的なものであったかは、このような教育理念のコントラストにはっきりとうかがえるであろう。

2 戦後教育の理念と現実

民主的教育原理と現実とのあつれき

日本国憲法と教育基本法によって、民主教育の原理的な方向づけがなされたが、それはそのまま現実の教育過程の中に実現される運びにはならなかった。むしろ反対に、実際の教育行政は、保守政権の意向に従って、教育に対する権力的統制を強化し、基本法の精神といちじるしく遠ざかるに至ったのである。

アメリカ占領軍の初期対日方針が、ポツダム宣言の路線に沿って、日本の民主化を推進していた頃には、文部省もまた民主教育のための改革に努める姿勢をとっていた。教育基本法や学校教育法などは、そうした民主化時代の所産である。この流れは、しかし、そう長くは続かず、アメリカの対日方針の変化、とりわけ朝鮮戦争を境とする反共体制の強化とともに、日本の政治・経済・行政・文化の全領域にわたる「逆コース」に呑みこまれ、教育界にも顕著なUターン現象が生じることになった。「民主化行き過ぎ」(!?)の「是正」をめざす復古的運動——憲法「改正」のキャンペーン、「愛国心」や旧道徳の鼓吹、再軍備促進など——のなかで、教育にも文字どおり反動的な国家干渉が加えられるようになるのである。

教育に対する権力的統制は、教員組合への攻勢——とりわけ、教育二法による政治活動の禁止、教員の勤務評定の強行など——にはじまり、「検定」制度による教科書の統制、教育委員の任命制への切替え、道徳教育の復活など、いちじるしく復古色のつよいものであった。その動向は、原理的に憲法＝教育基本法の理念に背反する諸特徴――上からの学校管理、教師の自由への干渉、「祖国愛」涵養の要請、日の丸・君が代などの旧体制シンボルの復活、天皇敬愛の念をもつ「期待される人間像」の掲示など――を含んでいた。これらはいずれも、表現に多少の違いはあっても、基本的な発想の仕方や価値観においては、一九六〇年代以後にも続く文教政策の方向を画している。

不幸なことに、わが国の教育は、保守党政府・支配層の側からの露骨な教育干渉の強化を通じて、自由な展開をいちじるしく妨げられてきた。そういう点からすれば、少なくも民主憲法を基準標としてみるかぎり、わが国の政治と教育の緊張関係の中で、真に「憂うべき偏向」は、前者の教育干渉について指摘されなければならないだろう。道徳教育の復活、教科書の統制、勤務評定や指導要領などを通じての直接・間接の権力的コントロールなどは、民主憲法や教育基本法のおよそ予想しない特殊＝政治的なものだからである。

しかし、「偏向教育」に対する非難は――その非難に値する一部のゆきすぎがあった事実とともに――「教育の中立性」というもっともらしい理由のために、通俗的な説得力をもちえた。教育者の「労働者」意識を好まない人びと、ましてその「階級闘争」や「アカ」っぽい教育を許しえないと考える戦前派の父母には、教育の政治的中立という政府のシンボルは、きわめて有効に働いたとおもわれる。勤評闘争が、国民の強力な支持をえられなかっただけでなく、教師のなかにさえも十分な抵抗力を生み出すまでに浸透しえなかったことは、ひとつには「中立性」のマジック・ワードを打破するだけの理論と運動を組織しえなかったからだ、といってもいいだろう。もちろん、これは教組をはじめとする組織の側だけの問題ではない。むしろ、反動的な文教政策のもつ露骨なまでの「政治性」を見ぬいて、教育の中立性というスローガンがどれほど虚偽的なものであるかを批判できなかった大衆の側にも問題があろう。

ところで、民主教育を否認する右の旧型の国家教育への運動の本命は、無思想な行動右翼などではなく、党人文相たちによって代表される保守パワー・エリートであった。彼らの主張によれば、戦後の教育は、「国を愛する」日本人の育成という点ではなはだ欠けており、逆に日本をさげすみ、あなどるような日本喪失感の傾向さえ生じてきた。だから、日本の教育は、日本を愛する「よい日本人」を作ることに眼目をおくべきであり、教育基本法もこの面から「改正」さるべきだ、ということになる。

この「国を愛する立派な日本人」という教育目標は、抽象的に語られているかぎり、当時民主陣営で唱えられていた国民教育の人間像とまったく違うようにはみえない。しかし、その具体的な意味内容は対蹠的であった。カニがみずからの甲羅に似せて穴を掘るように、教育に要望する支配層の人間像は、支配の構造およびそれを支えるイデオロギーと、完全に見あっている。そして周知のとおり、わが保守支配層の憲法意識は、日本国憲法になじみえない旧体制的な性格を、ことごとに示してきた。彼らは、「自由陣営」に属する以上、タテマエとしては民主憲法を棄てさるわけにはゆかないが、ホンネとしては、その反動的「改正」の機をうかがいつづけてきたのである。

「国を愛するよい日本人」という教育の人間像が、――上記の国民教育論者たちの「民族の課題を自覚した自主的な国民」というイメージとはまるで正反対に――保守勢力のスタトゥス・クオの維持、あるいは旧体制の「忠君愛国」の精神の復活という方向をむいていたことは、明らかである。この後向きの運動が、民主的な教育理念およびその担い手たちと、激しいあつれきを生じたのは当然の成行きである。

教育をめぐる政治闘争と教育の中立性

国民あるいは国家といった基本概念さえも、対立した陣営のキィ・シンボルとして用いられるとき、火と水ほどの不宥和な反対概念となる。一九五〇年代の国民教育と国家教育の相違も、そうした概念によって激しく分裂した政治戦線を鮮明にしていた。ところが、特徴的なのは、国家の教育権を主張する側が積極的に「教育の中立性」のシンボルをさかんに振りかざしたことである。たしかに教育は、政党派的なイデオロギーや利害対立をそのなかにもちこんではならないという点で、政治的中立または公正さを要求される。政治権力の干渉から独立であるべきことも、強権や政党派的イデオロギーによって、真理を教える教育に歪みを与えてはならない、という当然の要求から生じた基本原則である。

他方で、しかし、国民の生活や文化を包みその内容を決定する広義の政治の場を考えれば、教育がそういう政治の外にそれと無関係に立つことはできない。政治権力に随順な、あるいは権力と同一化したイデオロギーは、権力との対抗関係を生じないために、「政治的中立性」の仮象をとりやすい。実際には、しかし、一見「非政治的」な主張や運動が、うえの意味の政治の場できわめて高度に政治的であることは、いうまでもない。五〇年代にもっとも激しく争われた勤評闘争についていえば、勤評実施の意図も強行も、それに対する服従も妥協も、すべて一定の政治状況のなかでそれぞれに「政治的」性格をもつものであって、その反対運動だけがとくに政治的であったわけではない。「政治的中立」の要求が、主として政府・与党の支配操作の便宜なシンボルとされ、実際にかなりの効果をあげたのは、反体制運動を異端とする明治以来の心理的伝統と、支配権力のまぎれもない政治性や「偏向」を批判できない大衆の盲点を、巧みに利用しえたからである。

こうした状況を考えれば、教育の中立性の正しい意味を明らかにしたうえで、教育問題を政治の場に引き出して、真向から〃正しい政治性〃を争っていく必要があろう。この意味では上原専禄が、「国民形成の教育」（岩波『現代教育学』第四巻）としての国民教育を「高次の政治」としてとらえるべきだと提唱したのは、きわめて正当だったといえる。この問題は、教育の自由を求めるその後の長い運動の歴史について、とりわけ教科書問題のとらえ方についても、妥当するであろう。教育の統制者の側が、みずからの圧倒的な政治性や偏向性を——意図的に、あるいは無自覚に——蓋い隠して、統制される側の「偏向」を非難し続けてきた手法が、そこにもっともよく現われているだけに、このことは格別に強調されなければならない。

近代化路線による教育統制の方向

「後向き」の教育統制は、しかし、近代化の波の中でその姿態や表現をしだいに変えていくようになる。すなわち、一九六〇年以後の経済成長にともなう新産業時代において、新しい「人づくり」論や「教育を投資とみる視点」から教育効率を考える（文部省『日本の成長と教育』一九六二年）ような、一見「近代合理性」に富んだ傾向が現われ、さらに進んで人間の「多面的・総合的な発達」のための諸施策が提唱される（中教審『教育改革のための基本的施策』一九七一年）ことになる。しかし、情報化社会に適応しようとするこれらの動きは、以前の復古色を稀薄にさせた観があるけれども、その基本的な性格に変りはないといってよい。「第三の教育改革」と謳って出された中教審答申も、次章で詳しく指摘するとおり、政府主導の著しい国家主義的な性格において、従前の教育観をそのまま継承（というよりむしろ強化さえ）しており、学ぶ者の学習権や教育の自由を無視した政府・文部省の発想と符節を合わせるように酷似している。

このように現実の政治社会の動きにつれて、民主教育の理念は大幅な後退を強いられ、かわって保守支配政党のイデオロギーと行政権力が、教育の現場に入りこみ、いわゆる教育の内的事項まで左右するに至るのである。さらに教科書の検定や教師の自由制限などに加えて、わが国の教育を異常に歪ませているテスト体制を促進してきたことも、教育の荒廃を倍加させたといえるだろう。「子どもを学力テストの点数によって差別・選別する」テスト教育体制は、「論理必然的に独占資本の教育要求と照応する」と評された（五十嵐・伊ヶ崎編著『戦後教育の歴史』）が、それはすべての子どもから真の学習を奪い去り、親や教師をも巻き込んで、測り知れないほどの害悪を再生産しつつある。

この点はすでに第1章から詳細に跡づけてきたことだから、ここにはそれ以上くりかえさない。ただ、ごく大雑把なまとめとしていえば、教育統制とテスト体制は、日本の教育を文字どおり危機に陥れたふたつの元兇であるといっても過言ではない。すぐ後で述べるとおり、これに対しては、民主教育あるいは国民の教育権を求める諸層から、根づよい抵抗が続けられてきた。

しかし日本社会の現状において、教育基本法の理念を現場で回復させるまでの強い反撃力は、まだ組み立てられていない。教育における民主主義は、憲法＝教育基本法の高みに輝いていても、立法・行政・司法いずれのレベルでも、また多くの学校の教場でも、実現を阻まれている状態にある。総体として、子どもたちの学習権を中心とする民主教育の確立は、なお大いなる課題としてわれわれの前にあるといわねばならない。

3 民主教育原理の再生の運動

一九四〇年代から八〇年代への課題

右のような状況は、日本の政治の力関係および国民の社会意識からみれば、何の不思議もない。第一に、「八・一五革命」と占領政策は、憲法体制の変換を生じたけれども、日本人の手による社会革命も文化革命も起こさせはしなかった。第二に、占領軍が温存した日本の保守勢力と行政(および司法)官僚群は、――しだいに地力と自信をつけた財界とともに――アメリカの反共冷戦体制に呼応して、強力な中央集権構造を作りあげた。これに対して第三に、組織労働者を中心とする革新陣営は、戦後急速に伸張したものの、政権を勝ちとる力はもちえぬまま、権力からの抑圧(スト規制・デモ抑制・レッドパージ・勤評など)と内部抗争に苦しみ、つねに守勢に立たされてきた。

こうした中で一般国民の意識も、大都市部で革新支持の傾向がいちじるしいほか、全体としては保守政治を肯定し、主体的に変革を志向するものとはならなかった。教育についていえば、大衆は学歴社会での子どもの出世や安定をめざし、テスト体制に順応することによってこれをいっそう強化し、子どもの学習権を保障するように働くことはしていない。これらの諸条件から勘案すれば、今日みられる状況は、むしろ当然の結果だとさえいえるであろう。

もちろん、教育の深刻な問題状況を憂い、基本法の理念の回復を求める父母や教師は、全体としてみれば少数とはいえ、不屈の抵抗や運動をくりひろげてきた。教組による勤評や学テの闘争、学生による種々の反体制運動（もっともそれはどうしようもないほどの分裂と抗争に陥ったが）、家永訴訟に基づく教科書裁判闘争などは、その好例である。この最後のものは、教育法原理をめぐる闘争として、とくに画期的な杉本判決を勝ちえたことによって、歴史に残る意義を確証したといえる。その裁判過程で、子どもの学習権を中心にすえた「国民の教育権」の思想が、文部省の「国の教育権」論に対置されて、大きく拡がったことは、憲法＝教育基本法の原理を前進させたものとして、特筆に値する。

これと同じ視点に立って、民主教育の人間像や制度理念を確認した上で、国民の立場からの教育改革の要件と方策を提示した作業（教育制度検討委員会・梅根悟編『日本の教育改革を求めて』）も、七〇年代の教育運動の成果の一つとして挙げられよう。これらの動きの中で、国民の・国民による・国民（とくに子ども）のための教育への運動の理念が明らかにされはじめたのは、日本の教育にとって重大な意味をもつであろう。国民の自主的な運動に支えられない教育改革は、前述した問題状況に解決を与えるものとはなりえないからである。

リンカーンの定式で表わされる国民の教育権論は、二つの核心的な相関概念と不可分に結びついている。その一つは、国民の自主的な生涯学習の権利、とりわけ児童の学習権であり、もう一つは、教師の自由である。学ぶ者の学習権は、教育における基本的人権であり、それを中心に教育を考えることは、教育基本法の理念にもっともよく適合する。父母も教師も、何にもまして子どもの豊かな全面発達をめざし、その学習権に見あう教育に努めなければならない。そして教師は、子どもの学習権、「文化を継承し真理を学びとる権利」に奉仕するために、「文化・真理の代表者として子どもの前に立ちあらわれる」点で、「教師の教育権とは、子どもの学習権の照り返しだ」（宗像誠也——国民教育研究所編『国民と教師の教育権』第一章）とみられる。子どもの自由な人格を養成するためにも、またいわゆる真理教育を実践するためにも、教師はみずから自由な主体であり、真理の探究をめざす学徒でなければならない。教師の自由は、こうした二重の意味において、教師に重い課題を残した義務であり、また民主教育の不可欠な要件でもあるということができる。

「国の教育権」を主張する政府＝文部省は、上述のような民主教育の本質に根ざす要件を無視して、教師の原理的自由を否認し、過剰な干渉と統制をおこなってきた。既述したとおりそれは、保守支配層の要求とイデオロギーに沿うものであり、高度に政治的な性格を帯びている。ただ、そこで用いられる「国の教育権」の正当化理由は、政治部のみならず、司法部においてさえも採られる傾向があるだけに、格別の注意を要する。一言でいえばそれは、教育行政は国民から選び出された代表者から成る国会の意向に従っておこなわれるものであり、つまるところ国民の信託に基づいている、というのである。この建前はむろん、一般の政治については確かに妥当する。しかし、人格の形成にたずさわり真理追求に基礎を置く教育は、利害や権力をめぐる角逐としての政治ではない。

後でも述べるように、このふたつの異質の領域には、それぞれに異なった論理と法則が妥当しているのである。少なくも政治信託の論理から、〝権力の行使者がそのまま教育を支配すべきだ〟などという断定を、安易に下すことは許されない（第6章I参照）。むしろ逆に、公教育は一方で、子どもの学習権を充足する「親義務の共同化（私事の組織化）」として、「常に親たちによって監視され守られていかなければならない」（堀尾輝久『現代教育の思想と構造』）面をもつと同時に、上述したような教師の自由（義務でもある自由）を前提とするものである。政治信託のロジックによる「国の教育権」の思想は、教育権の民主的な受託――父母たる国民から教師に向けて教育の自由と責務を与える人格的信託――

の意味を転倒して、支配権力のもとに教育を従属させることに奉仕するであろう。憲法＝教育基本法の理念に沿う教育法制の再建のためには、この誤った「国の教育権」論を克服して、学習権と教育の自由を内容とする「国民の教育権」を確立していかなければならないとおもう。

小　結

明治初期いらい日本は、絶対天皇とそのもとでの強大な軍事力と行政官僚機構を中心にして、輝かしい躍進を遂げ、帝国主義競争のトップ・グループに加わる「大国」になった。しかし、この「躍進日本」を支えた人民は、前述したとおり「皇運ヲ扶翼シ奉ル」「忠誠ナル臣民」にとどまり、自由な人格主体ではなく、まして政治の主人公ではありえなかった。天皇制の中枢部にある軍・政・官・財の一握りの指導層を別にすれば、臣民は命令一下「水火ヲ辞セズ」死地に赴くように教えこまれた「奉公」人であり、つまりは支配の客体以上ではなかった。

「八・一五」の「皇国」の破局は、この旧体制の価値体系とそれを支える国家的・社会的構築物を打ち壊すことになったけれども、長い間「臣民」として馴致されてきた国民大衆は、みずから変革の主体として実質的な社会革命を達成する力も意思も持ちえなかった。その後の日本社会の産業構造の変化は、人びとの生活と意識にも影響を与えたし、そこから生じた公害等の諸矛盾は、新しい市民運動を生ずる条件ともなったが、保守支配の統治の仕組みは今日に至るまでほとんど変わっていない。そしてこの仕組みの上に立つ支配層は、社会の新状況に応じて、みずからの利益とイデオロギーに見あった「教育改革」を提唱するに至っている。

七〇年代に現われた「第三の教育改革」は、幼児教育や生涯教育にわたるスマートな適応を示したが、その基本の思想は、しかし、国家主義の教育観に貫かれている点で、明治国家に連続しているといってよい。その後今日まで社会変化に応じて「教育体系の総合的な再検討」(中教審『基本的施策』)を試みている中にも、国家による教育管理の思想は改められることなく、かえって強められてさえいるのである。八〇年代における教科書統制の足どりは、端的にその傾向を示している。

こうした〝適応〟の仕方は明治初期からの国家主義教育と同質であり、したがって憲法・教育基本法の民主的理念との緊張関係は、これからも高まりこそすれ減ずることはないであろう。国際および国内の諸条件の大きな変化にもかかわらず、わが国の政治と教育が、このような二元対立を基軸として展開していることは、それなりに注目すべき事象といえよう。

そして、このように異なった理念とその支持勢力の対立は、たんに文部省 対 日教組という旧来の拮抗関係ばかりでなく、以前よりもいっそう複雑な現象を呈すると思われる。たとえば、教科書検定訴訟における東京地裁の二つの相反する判決――杉本法廷と高津法廷のそれ――は、そうした事態の徴表であった。一九八三年に土光委員会がまとめた「行政改革」案にみられる、財政・軍事・福祉などとの絡みあいで教育を扱ったやり方もまた、その一例としてあげられる。そうした面での教育の矮小化と、他方での教育統制の強化とが並行的におこなわれるなかで、下からの民主的な改革の動きも発酵しつつあるように思われる。教育権の原理をめぐるこうしたダイナミックな緊張関係は、憲法政治の全面に拡がる問題状況の重要な一環として、それに参加する国民の動向いかんによっては、まさに日本の前途を決定する意味をもつことになろう。

第5章　八〇年代の教科書問題

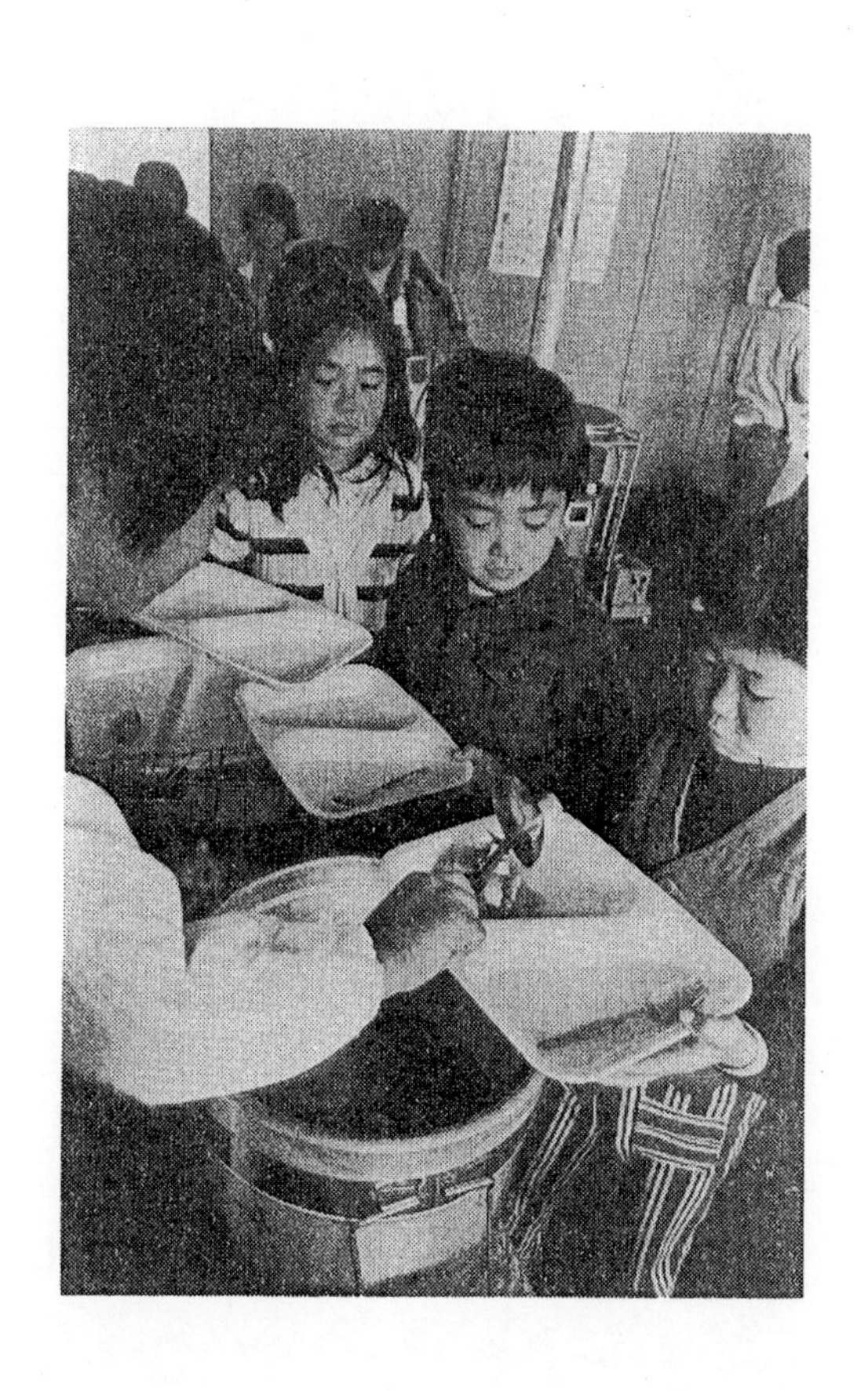

I　教科書への攻撃と統制

1　新しい教科書攻撃

はじめに――

教育に対する国家統制のなかでも、教科書に対するそれ（とくに検定制）ほど端的で、また影響が直接に生徒・児童に及ぶものはない。同時にまた、これほどあらわに統制の意図と方向を示すものもないだろう。しかも、権力的な統制のおこなわれる背景で、それを促し、あるいは推進する政治的な運動があった点でも、きわめて特徴的である。後で概観するように、一九五〇年と八〇年の段階で展開された「教科書」批判（というよりは非難）は、その反動的なイデオロギー性と政治性で、ともにきわだった性格を示している。教科書の統制が、行政権力だけでなく、広い政治的文脈で捉えられるべきことは、こうした歴史的経緯がよく示しているのである。

八〇年代に到ってまたしても、教科書に対する一大攻撃がくり展げ(ひろ)られるようになったのは、この段階の政治と教育の、新しいかかわり合いを意味すると思われる。上述のとおり、二十数年前にも、同じように〝右〟側からの教科書非難の大キャンペインがおこなわれた。いろいろな点からみてこの二つの運動は、動機も方法も、運動主体の物の考え方も、ほぼ同根・同質で、今度の教科書攻撃に新鮮なものは何もないといっていい。歴史の舞台で繰りかえされるこの種の出来ごとは、ナポレオン三世の例を引合いに出すまでもなく、たいていは〝茶番劇〟に終わるものだ。しかし、急角度で保守化が進みつつある八〇年代の政治=社会状況の中で、この二番煎じの攻撃が、成功しないとも限らない。けだしそれは、前よりもいっそう組織的であり、異常さの度合もいっそう進んでおり、国民がよほどしっかりしないと、その力に押し切られることになるかもしれないからである。――そうした攻撃が何を意味するか、国民は正確に認識しておかなければならない。

教科書非難の異常性

この本題に入る前に、最近の教科書攻撃の――とくにその先鋒をつとめる人びとの――異常ぶりにふれておこう。それは何よりも、「偏向」批判の手口の①恥知らずともいうべきトリック、②無知もしくは故意によるきめつけ、③部分的表現を勝手にとり出して全体的貶価をおこなうやり方、④みずからの偏向を棚上げにした一方的非難、⑤無証明のレッテルばりなどに現われている。これらについては、すでに具体的な事例に即して反論がおこなわれているから、ここで重ねて一々証明する必要はないだろう。

ただ、もっとも典型的な若干の例をみておくならば、まず民社党の塚本書記長の国会(一九八一年二月四日衆議院予算委)での発言があげられる。それによれば、中学校の社会科の新教科書は、〝初めのとびらからして、公害や基地反対のデモの写真ではじまり、みんな石油基地が悪いようなことに規定されるようなことになっておる〃という調子で、テレビの視聴者たちに、その偏向ぶりを印象づけようとした。ところが実際には、検定を通過した七冊の本のうち、デモの写真をのせているのは一冊だけであったから、彼の発言はいってみれば、七分の一を全体化したトリックにほかならない。それにそもそも、デモ隊の写真を掲げるのが教科書の「偏向」だと言いたてることじたい、仮にも〈民主社会主義〉を旗印としていた政党の責任者として、問題にさるべき偏見であって、民主主義の初歩の理解もできていないと評されてもやむをえないだろう。

同書記長はまた、教師の指導書の一つから解説の一部をとりあげ、〃共産主義がユートピアだと書いてある〃として、その「偏向」ぶりを立証しようとしたが、これがまたひどいナンセンスであった。原文と彼の発言とを読みくらべてみれば明らかなとおり、原文には彼が非難しようとした意味はまったくないから、これは故意か誤読によって勝手に、〃共産主義は理想郷だ〃ときめつけていたにすぎない。こういう無論理で乱暴な非難や攻撃のパターンは、自民党のパンフ『憂うべき教科書の問題』をはじめとして、教科書攻撃のキャンペインをはったいくつかの本に、共通にみられるところである。*

* 高橋磧一・星野安三郎監修『教科書がねらわれている』、同『よい教科書を子どもの手に』、日教組・日高教ほか編『教科書が危ない』、同『ぞく「きょうかしょ」があぶない！』、三浦孝啓・大谷正『平和教育への侵略者たち』、国民教育研究所『教科書問題』（いずれも一九八一年）などをみよ。——これらの諸著には、たくさんの具体例がのせられている。ところが、教科書問題をとりあげた一部の評論の中には、まったく倒錯的なものも出され、反動イデオロギーの広さを示した。たとえば、渡部昇一「今、本当に考えるべきこと」（中央公論一九八一年一〇月号）は、「検定強化危惧論者の方は、（偏向是正派の話が一般に具体的であるのに）反対しているだけで、具体的なことをあげて反駁するということがほとんどないように思われる」という無論証の

批判をおこなった。反駁側の言い分を頭から度外視して、一方的なやり方で攻撃側に加担するような〝評論〟は、評論の名に値するミニマムの客観性や公正さを欠くと評されてもやむをえまい。

それらのデマゴギーの代表的なものとして、自民党の右のパンフの一節があげられよう。いわく、「①共産党がせっせと教科書を作り、②これを社会党が、つまり日教組が注文をとって売り歩き、③自民党と政府が金を払っている、こういう格好である」と（番号は筆者）。同工異曲のいいがかりは、さきの塚本発言にもみられたが、この①〜③の全部が間違いであることは、ちょっと考えてみれば明らかだろう。

①は、教科書の執筆者たちをみな〝共産党員〟か同党シンパだと決めつける、何とも乱暴きわまるでっち上げであり、それじたい攻撃者じしんの愚劣な幻想と偏見を示すとともに、暴力的な「アカ」非難の手口の再版ともみられる。* ②は、教育委員会に教科書の採択権を行使させている現状をあえて無視した、社会党と日教組への誣告にほかならない。③も、国民の税金を「自民党と政府」のものだとする、思い上がった簒奪的発想の発現であって、自民党のおごりを示す一端でもある。——今日の教科書攻撃が、こういう粗放で非常識な考え方とやり方で進められていることに、国民は十分注目しておく必要がある。

* こうした事例はたくさんあるが、そのような思考の結論として、ファシズムそこのけの〈アカ抹殺〉的な検定強化論が出てくることに注意すべきである。後でも引用するが、前掲の自民党パンフの一節に、〝著者の名前をみて、「内容は見ないでボツ」にし、その口実は「文章の中から探せばよい」〟という、無茶苦茶な発言があるが、これは戦前の特高のやり方とまったく同一の暴力的発想で、今日の教科書攻撃の真意を洩

らしたものとして、見逃しえない意味をもっている。

支配体制の組織的キャンペイン

ところで、現在の教育問題の異常さは、右のような攻撃の手法の乱暴さ、攻撃者たちの無論理や反知性的な発想などにとどまらず、いわば政・財・官・民の支配的勢力をあげての組織的キャンペインを形づくっているところにも現われている。端的にいうと――あとで詳しく見るように――それは、理不尽な中傷や「アカ」のレッテル張りの手法で教科書パージをおこない、その国家的統制を強化しようとする運動だと要約できよう。

ここで特徴的なのは、一部の狂信的な反動勢力のみならず、中正たるべき官僚機構（とくに文部省）も、合理的な思考や計算を身上とするはずの財界も、本気で教育基本法の精神に反する教育の政治支配に乗り出しているという状況である。財界の教科書批判（たとえば経団連の外郭団体といわれる経済広報センターのそれ）には、さすがに上掲の自民党パンフレットのような無証明のでたらめやデマゴギーはあまり見当たらないけれども、その指摘する諸点はいずれも、現体制の擁護と弁明、資本主義体制批判の排除などを志向しており、反社会主義の姿勢も濃厚である。これは、デマと作為にみちた声高な絶叫と冷静にみえる「調査」報告などをないまぜた奇妙な〝狂騒曲〟の中で、全体を通じて繰りかえされる基調の一つである。それらはとどのつまり、フィナーレにおける国家主義の大合唱となって、教科書統制強化の斉唱で結ばれる。

このような組織的キャンペインが異常だというのは、一つには、「偏向」批判の基準が、民主憲法や教育基本法の原理ではなく、むしろ逆にこれらを否認するような――そして実質的には明治国家の価値原理にきわめて近い――立場に置かれていること、および論者たちにみずからの偏向に対する自覚もまったくないということである。「偏向」か否かを測定する客観的基準については、学問上むろん種々の議論がありうるけれども、結論からいえば、現代世界の理念ともいうべき民主主義の教育原理以外に、中枢の判断基準とされるものはないはずである。

この基準からすれば、これまで私が検討してみた多くの現代社会科の教科書には――細部の点ではそれぞれいくつかの欠陥が見出されるにしても――全体としては大きな誤謬や偏向はなく、むしろ攻撃者の視点にこそ、「疑問だらけ」の問題があるように思われる。

これと関連して、もう一つの異常さは、「偏向」非難者たちが、明治国家の歴史とりわけ戦争体験からほとんど何も学んでいないか、あるいはそれらをすっぽり忘れる強度の健忘症にかかっているらしい点に見出される。人間は失敗の歴史から学ぶことによって、真実を知り、過ちを正し、幸福や進歩への道を得ることができる。歴史の体験から学ばず、大きな過ちを同じように繰りかえすのは、異常としか言いようのない愚かさである。

ともあれ、観念的な国家主義を鼓吹し、そのための教科書統制を推進しようとする運動は、歴史の忘却から生じた退行現象であり、むしろ重篤な社会病理として、診断と治療を必要とすると見るべきではないだろうか。――以下は、そうした診断の試みの一つである。

2　問題の歴史的位置づけ

八〇年代までの歴史の概観

冒頭にも述べたように、今日の教科書攻撃は、八〇年代に突如現われた新現象ではない。その性質・方向・推進主体の思考様式などの点で、二十数年前『うれうべき教科書問題』（民主党パンフレット、一九五五年）に端を発した同種の運動とそっくりである。対象とされた教科書やその内容の新しさを除けば、それは五〇年代の（以下これを「第一期の」と呼ぶ）「偏向」攻撃の陳腐な復刻版にすぎないといってもよい。しかし、それがくり展げられている政治＝社会状況は、当時とかなり異なっており、その現実的な作用と意味は、今日の事態の中で読み直されなければならない。それに、これまでもきびしい検定にさらされてきた教科書に、いま・なぜふたたび〝右〟側からの圧力がかけられているのか、その理由も歴史的に考察しておく必要があろう。

第一期の教科書問題は、五〇年代の初期からはじまった政府の文教政策の右転換（たとえば修身科復活の動きなど）の一環として生じた。「教育の中立性」を名目とする教員の政治活動禁止法が、激しい対立の中で国会を通過させられたのは一九五四年であり、その翌年に先の民主党のパンフが出され、時の文相が愛国心と親孝行を強調して、教育基本法の改正が必要だという状態になっていた。五六年には国会の大混乱を押し切って、保守党は新教育委員会法を制定し、教育委員を任命制に切り換えることに成功した。さらに五〇年代の終りには、日教組の長い勤評闘争にもかかわらず、勤務評定方式が全国に施行されるに至り、「保守勢力の教育権の掌握は、大体においてこの一〇ヵ年でその路線を敷きつめた」（拙著『日本国憲法の問題状況』第5章）ということができる。文部省による教科書統制は、こういう政治過程を経て、しだいに強力なものとなったのである。

戦後得られた民主教育を守ろうとする勢力と、教育を昔の国家統制の下に服せしめようとする勢力との対立は、右のような過程を経て、後者の大きな前進と〝失地回復〟で一つのケリがつけられた。六〇年安保闘争ののち、いわゆる革新陣営が挫折感と虚脱感に陥り、また半面でわが国の経済的躍進が好況をもたらした状況の中で、保守勢力は着実に長期支配の座を確保した。

しかし、全体としてのそのような保守の優位にもかかわらず、その側から主張されてきた「憲法改正」は、広汎な国民や野党の抵抗にあって実現されず、部分的にはむしろ憲法的価値や理念の具体化をめざす運動が、保守支配を脅かすようにさえなった。そのもっとも典型的な事例は、高度成長の陰で進行した公害に対する反対運動であり、また過密・過疎のあおりや陽の当たらぬ場所で悩む大衆の福祉要求である。そうした運動や要求を背景として、六〇年代中期から七〇年代初期は、とくに大都市部で革新首長が相ついで生じ、保守政権の未来に影がさしかかった時期である。

〈保革接近〉から〈保革逆転〉さえも語られはじめたこの時期は、そう長くは続かず、やがてはふたたび〈保守回帰〉の季節に入りこむことになる。しかし、それでもこの間に新しい変化が生じ、革新側の政策がかなり実現されたのも事実である。とりわけ福祉および公害対策は、大衆のニーズとして、保守陣営側もある程度まで積極的に対応せざるをえず、革新勢力に劣らず、「福祉」向上のスローガンを謳（うた）いあげるという状態になった。「憲法改正」の論議は影をひそめ、逆に地方自治体の「革新」

化にともなって、自治の実質化とその人民主権論的な再構成が論じられ、また環境権などの新しい人権理念が育成されて、こうした諸側面で資本主義秩序の大幅な再編成さえも要請されるようになってきた。

既成の支配層とりわけ超保守的な勢力の中に、少なからぬ危機感が生じ、体制防衛の動きが出てきたのも、不思議ではない。種々の公害（あるいは環境権）訴訟、原発問題、それに、〃黒い霧〃に包まれた政財界癒着に対する批判などは、支配層側を苛立たせた典型例であるが、これらにふれた社会科教科書もまた、彼らとして放置できない重要問題として、関心の中心に浮かび上がってくるであろう。

教科書検定訴訟とその成果

たまたま右の時期には、文部省による教科書検定の違憲・違法性を争う家永訴訟（一九六五年）が提起され、そのうちのいわゆる第二次訴訟に対して、周知のとおり、画期的な杉本判決（七〇年）が下された。それによれば、検定制度じたいは一定の限度ならば違憲ではないが、教育の内的事項に対する行政権の権力的介入は許されないとされ、当該事件についての不合格処分は違憲であると判定され、教育権をめぐる論争はこれを契機に、大きな転回をみることになった。

すでにその前から、教育（法）学界の一部で開始されていた教育権論の再構築の作業、とくに子どもの学習権を中心にすえて教育制度を考え直そうとする機運は、それ以後急速に拡がり、多くの成果を生みだした。学習権論のたて方や意味づけは、論者によってかなり異なっているけれども、子どもの発達権と結びあう人権としてのそれを中核として、教育法制を建て直すべきだという意見は、学界の通説的位置を占めるようになったといってもよかろう。* 七〇年代の教育法理論は、このようにしてめざましい展開を遂げたのである。

こうした理論状況の中で、教科書裁判は、理論および実務の双面できわめて重要な意義を持った。教科書検定による違法な処分に対して、家永氏が起こしたもう一つの損害賠償の訴え（いわゆる第一次訴訟）に対して、東京地裁（一九七四年の高津判決）は、検定は思想審査を目的とするものでないから違憲とはいえないとし、また教育基本法一〇条の禁ずる「不当な支配」にも該当するものではないとし、学界では〝わるい判決〟としてきびしい批判をうけたが、それでも家永氏側の主張の一部を認めて、国側に賠償を命じた。文部省は、自己にとってもっとも有利な判決においても、十分な勝利は得られなかったのである。

さらに先の第二次訴訟の控訴審でも、東京高裁（畔上判決）は、憲法判断には立ち入らないで、実質上の問題を残したままにしたが、検定の恣意性を衝いて、杉本判決の処分取消の結論を維持した。これらの結果は、文部省の検定行政に相当程度の影響を与えたとみられる。** このことも、超保守層を苛立たせる一つの要因になったといえよう。

* 学習権を中心にした新教育権論は、この時期にたくさんの著書・論文を産出した。代表的な事例の一部をあげても、堀尾輝久『現代教育の思想と構造』、兼子仁・永井憲一・牧柾名らによる『国民の教育権』という同名の書、梅根悟編『日本の教育改革を求めて』、日本教育法学会編『教育権と学習権』、ジュリスト総合特集『教育』や有倉教授還暦記念『教育法学の課題』の諸論文などがある。——なお、教科書裁判および杉本判決の内容については、これに立ち入る余裕はここではないので、それに関する評釈や論文にゆずる。同

判決以前の文献については、法律時報臨増『教科書裁判』（一九六九年）の資料編を、同判決の評釈については、拙著『憲法判断の原理』下巻（一九七八年）第3章五・六末尾の文献表を参照。

＊＊　この点は、教科書攻撃をおこなう側からも、いまいましげに認められている。たとえば自由新報のシリーズ「いま教科書は」の一節で、次のように述べられている（カッコ内は筆者）。「（家永訴訟では）杓子定規な（!?）法律論争をするかぎり、文部省の敗訴は目に見えていた。案の定、文部省に最も強い敵意を有する〈杉本判決〉では、『文部省の検定』は憲法違反ときめつけられ（これは不正確な表現）、そうでない判決でも『文部省の検定』は『気ままな行政』などといわれ、これまでのところ文部省の完全勝訴はひとつもないという始末だ。これでは、文部省が検定に腰が重くなるのは無理がないといえばいえる」云々。

政治的背景としての右傾化状況

七〇年代の後半からは、しかし、国際状勢の変化——ポスト・ヴェトナムのアメリカ太平洋戦略の変化、米中接近、ソ連の軍事力増強とそれへの対抗のための日本の「防衛努力」の要求強化など——に相応して、軍事力の増強を中心とする保守政策の展開がはじまる。そうした動きは、国民の側での戦争体験の風化、革新諸政党の分裂や無力化やその一部の右転向、国際的にはソ連のアフガニスタン進攻を契機とするソ連脅威論の拡がりなどを背景として、急速に進むようになった。そしてそのような、憲法九条の空洞化と表裏をなして、元号法制化運動が成功するなど、「保守化」の風潮はとみに色濃くなった。八〇年の〝ダブル選挙〟における自民党の〝圧勝〟は、この傾向を強化する引金となり、反憲法的諸勢力を政治や言論の諸領域で一気に噴出させることになる。

組織的な教科書攻撃が前面化するに至ったのは、このような政治的状況を背景としており、同時に右の風潮の主要な一環をなしている。航空機汚職追及のうやむや化、公害行政の後退、「福祉の見直し」、軍事力の増強(財政緊縮のさなかでの軍事費のみの「聖域」化)、「有事法制」の計画などと、ほぼ一線をなして現われていることは、決して偶然ではない。そのことは、教科書「批判」=非難の内容(反公害や福祉要求の抑制、「愛国心」教育欠如の論難等々)、教科書検定の強化(上とほぼ同様の諸点に対する修正要求)、さらには教科書関係者と政官界の汚い関係(教科書会社の政治献金、文部次官らとの〝黒い〟関係など)などに、はしなくも露呈して、大方の眼に明らかにされてきたとおりである。こうした政治的文脈の中で、その特質や客観的意味がおのずから浮かび上がってくるであろう。以下にそれを、総括的に考察してみることにする。

3 教科書攻撃の意味と方向

民主主義に対する全面的攻撃

今日の教科書問題は、その歴史的経緯からみても分かるとおり、憲法を含む戦後の民主改革に対する全面反動の一環として生じ、かつその性格を持ちつづけている。上に見てきたように、それは根底において、憲法・教育基本法の「改正」を主張する動きと軌を一にしており、たんなる教科書の攻撃というよりは、民主体制そのものへの敵対的姿勢を示している。それはまた、旧秩序と同質の国家主義を鼓吹し、愛国心の植えつけを教育の主要課題としており、当初から「君が代」や「ヤスクニ」の復活運動と連動して、文字どおり「逆コース」をたどりつつある。ただし、八〇年代の新しい国際および国内の状勢において、それが果たす作用は、たんなる明治国家の再現にとどまらず、より危険な――日米安保下の軍事的従属と新管理国家化への――道の選択に結びつけていくのではなかろうか。こうした問題意識と視点から、今日の教科書攻撃の意味・特質・方向を見定めるならば、少なくも以下の五点が指摘されよう。

第一にそれは、運動の中心部分が改憲運動のそれと重なっており、総じて民主主義的価値（とくに人権）に対してネガティヴであり、究極的には憲法および教育基本法の改訂をめざすものとみられる。自民党の右派イデオローグ、たとえば再三にわたり露骨な改憲論を打って物議をかもした奥野法務大臣のような人びとは、以前から教育基本法の改訂を主張し、教育勅語の賞揚さえしてきた。自民党の右派と深い関係に立ち、矯激な改憲運動と教科書攻撃をしてきた勝共連合関係のグループや神社本庁などは、憲法に憎悪や悪罵を浴びせさえしている。

教科書批判者の中には、これらの過激右派のように民主憲法に対するまったくの無理解と反発から、ただやみくもに〝破壊活動〟をするのとは違って、もう少し合理的な判断をしようとするものも、むろん少なくないだろう。しかし、今日教科書に矛(ほこ)を向けている主勢力が、憲法の根本的部分にまで攻撃を加え、民主主義原則をトータルに否認する性向をもっていることは、その最大の特徴ということができる。*

* 憲法の基本原則――国民主権・基本的人権・平和主義――に対して根本から否定的な態度をとる「改正」論は、〈憲法改正の限界〉を超えるものであって、明治憲法下で用いられたタームで表現すれば、一種の「朝憲紊乱」もしくは「国家反逆」のカテゴリーに属する。現憲法の下では、そういう「思想」を抱くことはも

ちろん、その「表現」も、憲法によって保障されている(それこそ現憲法の優越的特徴を示すものだ)が、旧秩序ならばもっとも重い罰をもって抑圧される類の言動であることは、国民にもはっきり認識されておく必要があろう。それらの人びとが、憲法に悪罵の限りをつくしながら、その憲法の自由の原理を濫用している光景が、いかにひどい矛盾であるか、国民にもっと痛感されたら、事態は変わってくるにちがいない。

病理的な「反共」と「愛国」のイデオロギー

第二にそれは、資本主義の現状(status quo――現実的意味の〝体制〟)を擁護し、これを正当化する積極的な志向を持つ反面で、反共(というよりは憎共・恐共)のつよい感情に彩られている。公害や原発や企業の利潤追求について、多少でも批判的に書いた部分は、神経質にチェックされる(経済広報センターの前掲文書参照)。それはまだしもだが、共産党(のみならず「進歩的文化人」など)に対する、虚実(正確には大虚小実というべきか)とりまぜての攻撃は、凄まじいものがある。

たとえば、自由新報や自民党の『憂うべき教科書』などによれば、社会科系の教科書の執筆者はみな〝共産党員かそのシンパ〟だと見なされ、教科書は「マルクス主義教育に利用」されているときめつけられる。こういう粗放な偏見から、次のような〝赤狩り的焚書〟論が出てくる。いわく「共産党と日教組を征伐するのには、百パーセント確実な(?)検定をやればよい。どんどん不合格にすればよい。疑わしきは罰せずではなく、疑わしいやつは全部罰する(!)」――民主憲法下に、こういうナチスそこのけの気狂いじみた煽動がおこなわれていることは、言論の自由の濫用の典型にほかならないが、この言葉ははしなくも教科書統制の恐ろしさをよく示しているといえよう。

第三にそれは、一律に「愛国心」を鼓吹し、逆に〝平和教材は党派的色彩がつよい〟などとするほか、愛国心と人類愛とが結びつくという指摘をした本さえも、「国の観念が骨抜きにされている」と非難する。同じことは五〇年代にも唱道されたが、今はもっと端的に「国への忠誠」、国家への「献身」、「自国を防衛する」義務などを教科書で教えよ、という要求となっている。こうした「愛国」イデオロギーの特色は、その内容が情緒的・観念的であることと、現代に不可欠なグローバルな視野や人類愛の理念にいちじるしく欠けていることである。

同時に見落せないのは、防衛庁が防衛白書で同じスローガンを謳い、双方あたかも呼応して、「一旦緩急アレハ義勇公ニ奉スヘシ」といった国民総動員的な献身を求めはじめていることである。このような要求が、「有事(緊急)体制」の確立、ひいては、かつてたどった軍国化への道につらなることは、明らかであろう。

国家の管理化と文化的退行化

第四にそれは、国民の権利の否定(もしくは削減)、国家への奉公の義務づけを通じて、批判精神をもたず政府の命令に服従する国民の養成をめざし、新しい管理国家を作り出す方向にある、と結論づけられるように思われる。ウルトラ保守(正確には反動)のグループは、君が代や元号などの旧体制シンボルの復活を〝勝ちとった〟ほか、「靖国」の国営化をめざすなど、明治国家再現の道(つまりは「逆コース」)を走ってきたが、現憲法秩序にとって換えようとする国家像は、かつて破局に至った歴史の示すとおり、すでに実験済みのイデオロギーにほかならない。絶対天皇を戴いたあの巨大な軍事＝治安国家は、八・一五の破滅以前の「栄光」の時代においてさえも、自由な主体であろうとする人間にとっては、抑圧と災厄のシステムであった。

現代の新管理国家は、教育を含む統制の技術がはるかに進歩した関係で、もっとスマートでもっと徹底した管理体制をとると考えられるが、災厄はそれに比例して大きなものとなろう。この「国家」が、国防観念の植えつけに成功して、国民を大戦争に導いたとき、今度の「破局」が再起不能の壊滅を意味する確率はきわめて大きい。教科書統制の強化の道の彼方のそう遠くないところに、この危険な可能性が存することを、国民は的確に認識しておかなければならない。

さいごに、今回の教科書問題の精神史的意味が問われるであろう。結論からいえば、攻撃主体の思想レベルは一般にきわめて低度であり、人間（人権）尊重の感覚はいちじるしく稀薄であり、人類的視野に欠けて、今日世界が真に必要としている問題についての認識もほとんど見うけられない。その攻撃方法は品格や節度に欠け、内容は論理と科学性に乏しく、――ときには噴飯ものの〝傑作〟によって、たくまざる滑稽を演じることもあるが――全体としてそれは、わが国の文化の貧困を示すマイナス尺度になっている、といっても過言ではないであろう。

日本国民がもし、この低劣な教科書攻撃に引きずられて、教育の政治的統制を許すことにでもなれば、日本はまたしても――経済的アニマルとして肥（ふと）っても――夜郎自大で低劣な非文化国家に堕落することは必定である。今日の反教科書運動は、この意味でまことに悲惨ともいうべき退行的現象であり、日本民族は当面まずこのようなみじめな精神的状況から、みずからを引き上げる課題をかかえているといわねばならない。

4　むすび——岐路における選択

上記のような意味と方向をもった今日の教科書攻撃は、真面目に討論するに値しない内容のものであるにしても、これを見逃してはいられない。現に戦前・戦中には、マルサスとマルクスの区別さえできないような軍人や特高警察が、日本の文化行政の中枢を握って、この国の国民をも文化をも台無しにした歴史がある。国民が教育のこの危機的状況の中で、悪質な教科書攻撃を放置すれば、政治のみならず文化の領域でも、〝悪貨が良貨を駆逐する〟グレシャムの法則が妥当し、せっかく多大な犠牲の結果得られた戦後民主主義を捨て去ることになろう。

ＮＨＫの調査（一九八一年九月）によれば、教科書問題に対する日本国民の「関心は高いけれども、自主的判断を持たないものが多い」、と報道された。自主的な判断のない〝関心〟は、事態に対して無力であり、教科書統制を通じて、古いイデオロギーによる新しい管理体制にまきこまれていく可能性が大きいし、そこがまた攻撃者たちのつけめにもなろう。そうしてみれば、上に見てきたような性格の教科書攻撃は、子どもたちのみならず、おとなをも含めて、批判力のない従順なる〝無脳者〟集団に化するための一大キャンペインたる意味をもつことになる。

このような攻撃を背にして、教科書統制が強化されていけば、その行く先は、明治国家によく似た新しい管理国家であろう。まさに日本国民は、〝民主国家か新しい専制国家か〟への岐路に立たされているといっても過言ではない。

すでに詳しく見てきたとおり、現代日本の教育は、さまざまな複合的原因によって、未曽有の混乱と頽廃に陥りつつある。その根本の理由は、「民主主義の過剰」などではなく、むしろ正反対に、民主教育の不徹底と不十分さに求められよう。ところが現実では、不幸なことに、この混迷状態は、超保守主義者たちによって、短絡的に〝教科書のせい〟だなどとされている。

そういう馬鹿げた中傷的宣伝をしりぞけるためにも、真の民主化運動は、教科書統制のみならず、社会の根深い病理ともたたかって、教育をたて直し、未来の国民に、真実と自由と正義が妥当する民主社会の可能性を伝えていかなければならない。教育の国家統制を廃し、もっとも高い意味での「教育の自由」を回復することは、この運動の基本の柱となろう。日本の文化や平和を脅かす低劣な攻撃に対して、すぐれた知性と豊かな感性をもつあらゆる人びとが、教育の自由と創造性をとり戻すための連帯的な運動に立ち上がることこそ、日本を壊滅から救う最大の条件だと、私は思う。

この教育民主主義の再生の運動は、これまでも多くの人びとによって自覚されてきたように、平和と人権と民主主義を骨幹とする憲法の擁護と具体化の運動でもある。前述したとおり、攻撃者たちの目標と方法が、トータルな反民主主義のそれである以上、それを受けて立つ国民の運動もまた、トータルな民主主義の確立をめざし、その範囲と組織原理もまた、われわれの生活の草の根に至る全面的にデモクラティックなものでなければならない。日本の創造的文化と民主主義の可能性――それは同時に平和と戦争（つまりは壊滅）の選択を含んだ岐路でもある――の賭にのぞんで、われわれはこの方法論的自覚をもつように要請されるであろう。これにもう一つだけ決定的要件をつけ加えるとすれば、それは良識ある国民の民主主義に対する情熱である。

II　教科書検定問題の国際化

1　教科書検定の基本的性格

教科書検定制の史的瞥見

わが国の教科書制度、とりわけその検定制は、戦後教育の問題状況をきわだって示す、教育史の生きた素材である。教科書をめぐる政治・社会の諸力の角逐をたどれば、それは同時に、政治のダイナミックスの一断面を表わす生々しい動画ともなろう。

周知のとおり、明治国家は、その初期の数年を除いて、教育の政治的統制をしだいにつよめ、今世紀初頭（一九〇三年）から、教科書国定の制度をとった。諸々の天皇制シンボルの操作による日常的な教化とともに、国定教科書は、「富国強兵」を旗印とした軍国日本に国民を奉仕させるための、強力な国家的用具とされたのである。

第二次大戦後の教育改革によって、そうした国定制は廃止され、憲法＝教育基本法の下で、一度は執筆者の表現の自由や教師の自由採択が認められることになった。ところが、一九五〇年代にはじまる保守再編成の動きの最重要の一環として、教育制度の〝手直し〟が強行され、そこからしだいに国家的統制が復活してくる。それ以後八〇年代に至る教科書検定の強化の軌跡は、大まかに概括すれば、教育における反民主化と反動の成功の過程を示すものであったといってもよいだろう。

いうまでもなく、保守勢力の〝失地回復〟とそれによる憲法＝教育基本法の空洞化に対しては、革新＝民主勢力のつよい抵抗があり、「教育」をめぐる対立は、しばしば政治的闘争ともなった。そのジグザグの道程で、教科書検定はしだいに、後で述べるような権力的でイデオロギー色の濃い性格を現わしてくるが、その制度じたいの違憲・違法性が法廷でも争われるに至った。杉本判決をはじめ、いくつかの注目される判決を生んだ家永教科書訴訟は、教育史上に大きな跡を残す代表例である。

検定制をめぐる内外の問題化

学問と教育の自由の保障を求めて提起された家永訴訟は、文部省による教科書検定が憲法の禁ずる「検閲」に当たるのではないか、という端的な憲法論議にとどまらず、教育の本義に関する根本問題への反省を喚び起こした。この訴訟とそれを支援した広汎な運動は、〝政治的中立性〟の名目で教師の統制をはかった反動的な文教行政に対して、きびしい批判をつきつけただけではない。それはさらに、子どもの学習権を中心にすえる新しい教育論を展開することによって、わが国の教育と教育法の歴史に画期的な意義をもつことになった。一九七〇年の東京地裁杉本判決は、そうした新しい教育権論をふまえて、家永教科書に対する文部省の検定処分を違法とし、その取消しを命じたのである。こうした路線が貫かれれば、検定制も無害なものに変えられる可能性が十分にあった。

杉本判決が確認した「子どもの学習をする権利」は、一九七六年の最高裁判決（旭川学力テスト事件）

でも、原理的に承認された。教育の自由を拡大する可能性が、そこに芽ばえかけていると見ることもできよう。しかし最高裁は、他方で「国の教育権」を否認するには至らず、下級審でも高津判決のように、それを大前提として文部省による検定を合憲とする見方が出されてきた。しかも、政治の領域では、現行の教科書に対する新たな攻撃がはじまり、それと足並みをそろえるかのように、検定もまた露骨に強められるようになる。八〇年代に急足調になった〝右傾化〟の一環として、教科書に対する国の統制も、いちだんと強化されたのである。

その揚句に、社会科とくに歴史の教科書における国家的干渉が史実まで大きく歪めた結果、中国・韓国などの近隣諸国から猛烈な非難を受け、重大な国際問題となったのは、当然とはいえ、反動的な文教行政の皮肉な運命である。

右のような教科書問題の国際化の成行きを見る前に、わが国の最近の教科書検定のきわだった特徴について、概観しておこう。この制度の基本的な性格として、少なくも次の四点があげられる。

現行検定制の政治的性格

第一はそのイデオロギー性である。教育の「中立性」や「不偏不党」性を看板に掲げながら、文部省がおこなう検定の実態は、政府与党（およびその背後にある右翼勢力）の政治主張とほぼ符節を合しており、まぎれもなく党派的偏向を示している。たとえば、①象徴天皇制の権威を重んじ、それを批判するような表現は許さない、②国民の基本権は「公共の福祉」の下で制約されているとし、義務面を強調させる、③憲法の平和主義を矮小化し、自衛隊の合法性・合憲性を認めさせるように〝指導〟する、④公害や企業責任の追及を抑制し、産業活動の重要性を挙げるべきだという、⑤日本帝国の対外侵略の歴史を蓋い、戦争責任をあいまいにする、等々、数えればキリがないほどたくさんの例が、検定のイデオロギー的偏向性を実証している。

第二の特徴は、露骨な権力的性格である。教科書を右に例示したような方向に変えていこうとする姿勢じたい、きわめて政治色が濃厚である。そして、背後にそうした政府＝与党の意向と権威を背負った検定官たちは、執筆者に向かって——言葉はいんぎんでも——居丈高ともいうべきやり方で指示を与える。いわゆる白表紙本の内容について、彼らが〝不可〟とする点を、「修正意見」や「改善意見」の形で示し、その訂正または〝改善〟を求めるのだが、前者は、それに従わなければ〝合格〟とさせないのだから、実質上は〝命令〟にほかならない。時には学界での最高権威者の理論に対しても、専門家でもない検定官が「修正」を要求するといった滑稽な風景も、権力の磁場で歪められた官庁の一室に生ずるのである。

よく知られている有名な例の一つに、物理学者の山内恭彦氏が、原子エネルギーに関する記述で、検定官から修正を求められたことがあげられる。〝それで学位もとり、学士院賞ももらった〟最高の専門家に、素人が文句をつけるという事態は、検定の非学問性と権力性をよく示している。類似の例は、歴史や、経済や、憲法などの分野でも、数多くみられる。

検定の密室性と独善性

第三に、検定の密室性があげられる。検定の過程はもちろん、上記のような指示の場のやりとりも、非公開であって、外部からは普通うかがい知れない。検定側の一方的通告に対し、執筆者が抵抗しても、その論理がどういうふうに力づくでねじまげられるかは、正確な記録で世間に伝えられることは滅多にない。検定官と執筆者のどちらに非があり理があるか、客観的に検討される機会がほとんどないのである。以前からこうした密室性の打破が叫ばれたにもかかわらず、文部省側はこれを拒否しつづけてきた。主たる理由は〝執筆者のプライバシーを守るため〟だといわれる。しかし、ある調査によれば、八割近い執筆者が〝検定を公開すべきだ〟(毎日新聞一九八二年一月六日)と考えている以上、そうした口実はおよそ理由にならないはずである。

第四に、右のような諸条件の結果として、検定の独善性が生ずる。権力層の意向に沿って、非公開の場で検定をおこなう〝官僚〟たちが、自覚なき独善に陥りやすいことは、免れない成行きである。彼らの官僚的な思い上りと恣意によって、教科書の内容が歪められ、子どもたちが真理教育から遠ざけられるとき、その分だけ国も確実に堕落するといってもよいだろう。まさにそういう事態を外側から衝いたのが、中国や韓国の対日批判であった。にもかかわらず、検定官も、それを督励する〝文教族〟議員たちも、そうした事態の本質を反省したと思われる形跡は見られない。彼らの独善は〝ほとんど病気〟としかいえない状態ではないか。

日本の教科書検定のありように対する国際的批判の波は、右のような諸性格を鮮明に浮かびあがらせてみせた。隣人たちの眼はさらに、わが国の検定制のひどい反動性や虚偽性をも示す良き鏡になっているといわねばならない。

2 国際的非難の意味と教訓

中国と韓国からの当然の非難

権力によってねじ曲げられた日本の教科書は、ついに国際的な場で批判を受けることになった。とくに一九八二年の夏に沸騰した、中国・韓国を筆頭とする日本の歴史教科書の記述への非難は、教科書問題に新たな局面を開いた。それらはいずれも、――具体的な論点の置き場所は違っても――文部省の検定によって歴史の事実が歪められ、あるいは意図的に隠蔽(いんぺい)され、かつての軍国主義の侵略が美化さえもされていることに対し、痛烈な批判と反論を加えるものであった。

それらの非難は、大日本帝国の被害者であった各国の国民の憤りに根ざしており、小手先のごまかしの利かない問題を提起したのである。何よりもそれらは、一方では近時の日本の政治の方向に対する警戒や批判を含み、他方では、歴史を〝改ざん〟しようとする日本人の手前勝手さに対し、より根本的な非難や憤激を示すものであった。そうした批判がおおむね的確に当たっていることは、次のような若干の基本的な事実を見るだけでも十分だろう。

A 日中戦争が全体として、旧日本帝国の侵略政策の結果であり、その侵略によって中国民衆に計り知れないほどの禍害を与えたことは、まぎれもない事実である。「聖戦」の名で美化された中国大陸への侵略と、その下で生じた南京大虐殺にみられるような「皇軍」の残虐な行為は、歴史の重要な事実として正確に記されなければならない。また将来の国民がふたたび過ちをおかさないためにも、これらは十分に教えられ伝えられる必要がある。

文部省は、この歴史教育のあるべき方向に逆行し、「侵略」を「進出」に書き換えさせ、南京大虐殺の事件も「中国軍の激しい抵抗のために起った」かのような、歴史の改ざんまでおこなわせた。* これは真理教育の本義に反するのみならず、侵略された側の人びとの深い傷の痛みを無視し、日本国民を手前勝手な歴史健忘症に陥らせることになろう。** ひいてはそれは、将来の国民が、国際的無知のゆえに外交上の対応能力を持ちえない、という事態にも導くだろう。歴史の事実を曲げたり蓋（おお）ったりすることは、何一つプラスのない犯罪的行為だといっても過言ではない。

* 出版労連の調べによると、「侵略」用語の統制はすでに一九五五（昭和三〇）年からはじまっており、以前から次のような指示があったという。――昭和三九年度検定（中学社会科）「日本の教科書だから中国侵略ということばはいけない」／昭和五〇年度検定（高校日本史）「帝国主義的侵略は植民地拡大政策とした方がよい」／昭和五一年度検定（高校世界史）「日本の中国侵略はまずい。進出、あるいは侵入とせよ」「（〃リットン報告書は、日本の行動は侵略であるとしたが〃の記述について）まずい。断定してはいけない」／昭和五四年度検定（中学公民）「侵略は侵攻か侵入であり、歴史では禁句である」／昭和五五年度検定（現代社会）「侵略は侵攻、侵入、侵出を使ってほしい。侵略には悪いという価値判断がはいる」等々。――なお、前述のような事例については、家永訴訟の資料や山住編著『教科書と子どもたちの未来』（一九八一年）のほか、民研編集「国民教育」五五号（一九八三年）所収の伊ヶ崎暁生「教科書問題の国際化と新展開」等をみよ。

** 多数の事例の中から、一つだけ南京事件について、現に横浜で在日中国人が用いている一教科書の一節を引用し、わが国の教科書で削り落されている歴史の一コマを見ておくことにしよう。日本人が忘れようとしていることが、かつての被侵略国ではなお生きている歴史事実である点に気づかないと、双方の意識ギャップは大きな禍いを生むかもしれないからである。『国民中学歴史』第3冊の二一章三節にいう。――「日本軍閥は南京占領後、まるで狂った野獣のように血腥い大虐殺をおこなった。わが首都三十万の罪なき農民らがすべて日寇の毒の手で惨事にあい、ある者は鉄砲で殺され、あるものは生き埋めにされ、またあるものは川の真ん中に捨てられ、あるものは武士刀（日本刀）で人頭をはねられた。婦女は暴力を振われ強姦され、財産は掠奪された。首都は空前の惨事に見舞われた。これは人類の文明史上最も非人道的な一頁をしるし、わが中華民族の大恥辱であるばかりでなく、全世界の平和を愛する民族もまた日寇の獣行に声を同じくして譴責した。」（社国輝校務主任訳、毎日新聞から引用）「侵略」の字を削らせた文部省が、もしもこうした記述を誤りだとしたら、正面から正否を争って対決する必要があったろう。

B　韓国の〝教科書批判〟は、もっと広汎にわたり、またもっと強い反情を含んだものであった。三六年に及ぶ大日本帝国の植民地としての辛苦の歴史からすれば、それも当然の成行きであろう。韓国にとどまらず、全朝鮮に対する主権剝奪と抑圧の歴史は、朝鮮人にとって忘れえない汚辱と痛苦のそれであった。

そうした事実からすれば、たとえば一九一九年のいわゆる三・一独立運動について、日本の教科書が検定で歪曲され、それを「暴動」として扱うように書き改められ、また弾圧によって七千人以上も殺されたという記述が削られるなどしたことは、虚偽的といわれても当然であろう。* 同じ批判は、関東大震災時に生じた多数の朝鮮人の虐殺や、土地調査事業の名目でおこなわれた農民からの土地の収奪、さらには創氏改名による「皇民化」政策のような諸件に、そのまま当てはまる。

＊　日本の教科書を分析した韓国の文教省国史編さん委員会は、「国内外の韓民族全体が日帝植民地統治から

独立と自由を取り戻すために起こした抗日民族独立運動」である「三・一独立運動をデモと暴動と表記したのは、韓民族の独立力量を否定し、彼ら（「日帝」支配者たち――筆者註）の残忍な弾圧と無数の韓民族の犠牲を隠し、蛮行を正当化しようとしたものである」と厳しく批判した（朝日新聞一九八二年八月一四日）。

日本国と日本人への不信の拡がり

同じような歴史の糊塗は、台湾にも、フィリピン、インドネシア、ヴェトナム、ビルマなどについても、また外国のみならず沖縄についてもおこなわれ、教科書検定は、広く全アジア人民から指弾を受けるべき状態になった。「ルック・イースト」のスローガンをかかげ、経済上の成功を評価し〝日本に習え〟としていたマレーシアにおいても、同様である。アジアのみならず、直接には関係のないイギリス、ドイツ、アメリカなどにおいても、日本が旧軍国主義の罪業や汚点を教科書から除き去ろうとすることについて、批判的な論評があった。文部省の検定による独りよがりな歴史の改作が、国際社会にまったく通用しないことは、こうした各国の反応からみても明らかである。

ちなみに、外国だけでなく足元の沖縄からも、日本軍による住民殺害の「厳然たる事実」の記述を削除したことに対し、県議会から全会一致のつよいプロテストがなされた。文部省の不自然な作為は、このようにして内外ともに、弁明しがたい事実によって、虚偽性をあばかれるに至ったのである。

右のような事態の意味するところは、重大かつ深刻である。第一に、日本の政府は、この教科書問題によって、容易に恢復しえないダメージを受けたが、それにもまして日本が国際信用を失った損失は、計り知れないほど大きいというべきだろう。当面の外交関係についても、中国・韓国との友好にヒビが入っただけでなく、日本という国への不信の増大によって、日本の国際的地位が少なからず引き下げられたことは、間違いない。教科書で事実をねじ曲げるような国が、どうして文化国家として尊敬されうるだろうか。文部省とその教科書検定官たちは、日本の国益に大きな損害を与えた責任を痛感すべきである。

第二に、国にもまして、民族および個人としての日本人が受けた損害は、おそらくもっと根ぶかいものであろう。韓国で典型的にみられたような民族的憎悪や反感の沸騰は、もともと朝鮮と日本の長い歴史に根ざすものとはいえ、教科書問題を通じて、日本人全体への新しい不信感が増幅されたことを示している。韓国政府は、政治考量によって表面上は融和したとしても、日本人に対する朝鮮民衆の不信・憎悪さらには軽蔑を払拭(ふっしょく)するのには、これから民族をあげての長い努力が必要になろう。

もっとも、朝鮮人民が日本人を〝邪悪・奸狡〟だと見ても無理からぬ現象は、教科書問題の外にも少なくないし、まさに〝奸狡〟としかいいようのない日本人が多いことも事実である。隣人をあれほど蔑視し足蹴にしてきたうえに、何の痛みも感ぜず、無反省に自己の利益と享楽を追いつづけているエコノミック・アニマルが多いからこそ、こういう事態になったともいえよう。まさにそれゆえに、海外からの教科書批判は、国民としての猛省を促すよき鏡になったのである。

日本の全体的右傾化への警鐘

第三に、教科書批判の国際的な拡がりは、七〇年代末から急足調で進んだ日本の〝右傾化〟、あるいは軍国化に対する外からの警鐘でもあった。中国の『人民日報』の社説や胡耀邦主席の中国共産党第一二全大会での報告などで知られるとおり、教科書問題はとりわけ中国において、日本の軍国主義復活の傾向と不可分のものとして把握されていた。たとえば人民日報の一九八二年七月一五日の社説は、具体的に①教科書での歴史「改ざん」、②「大日本帝国」など軍国主義賛美映画の上映、③軍国主義分子をまつっている靖国神社の公式参拝、④憲法改正の画策、⑤台湾との公的関係樹立の企て――の五項目を挙げ、「これは非常に危険な動向であり、もし発展すれば中日友好関係に与える害は極めて大きい」と警告した。*

＊　毎日新聞一九八二年八月一五日による。九月三日の人民日報にのせられた鐘岩の論文も、ほぼ異口同音に、日本の軍国主義勢力の抬頭にふれ、教科書問題とのつながりを指摘している。すなわち同論文は、①右翼団体が増えた、②憲法の政教分離規定を無視して、政府要人による靖国神社参拝が公然化された、③八〇年の「二〇三高地」、八一年の「連合艦隊」、最近の「大日本帝国」を代表作とする軍国主義美化の映画が作られた、④右翼分子は東北侵略の事実をねじ曲げ「満州建国の碑」建設を企てた、などを挙げ、「軍国主義思想で青少年を毒し、〃大東亜共栄圏〃再演をたくらむ」点で、これらが文部省の教科書改ざんとつながるとしている(以上、朝日新聞九月四日による)。これはおそらく、中国の代表的な見方であったといってよいであろう。

客観的にみてこれらは(⑤は中国独自の問題として括弧の中に入れておくとしても)、当時の日本の右傾化を示す一連の事象であり、超大国の中国にとっても警戒すべき危険な徴候と受けとめられたのは、自然であろう。中国にかぎらず、先にもふれたとおりインドネシアやマレーシアなどの諸国からも、同様な懸念が示された。日本を見る海外の眼の鋭さと、過去の歴史がアジア諸国に生きていることが、忘れられてはならない。

上記のような意味で、教科書問題の国際化は、はしなくもわが国に、自己認識の絶好の機会を与えることになった。これによって、自民党＝文部省（およびその背後で教科書攻撃をつづけてきた右翼的グループ）の検定強化策が、いかに国際的に総スカンを食うひどい代物であったかが、浮彫りにされたのである。露骨な権力で日本国内の批判を無視し抑圧してきた文教政策は、国際舞台では、恥知らずともいうべき独善ぶりをあばき出され、道義的にも失格の宣告を受けたに等しい。

しかも検定の方向が、アジア諸民族にとって危険な軍国化と軌を一にしているという実態も、きびしく指摘された。先にもふれたとおり、国際的非難は、教科書の内容だけでなく、戦争責任に鈍感で〝自分のことしか考えない日本人〟の人格にも向けられていると知らねばならない。もう一つつけ加えるならば、それはまた、あのように偏向した教科書検定をまかり通らせている、日本の政治＝文化の質を問いただす問題でもあったといえよう。

このように見てくれば、国際化した教科書検定批判は、日本の政治と教育のありように関わる大きな教訓を与えた。わが国の政府および国民が、そこから謙虚に学びまた反省すべき問題は、多大である。少なくも検定制の根本的な再検討は、当面第一の課題となろう。

3　対応の混迷と虚構の解決

国際批判への外交的対応

うえに跡づけてきた教科書批判を正面から受けとめるならば、問題の根本的な解決はおそらく、権力的な検定制の誤りを是正する以外に果たしえないであろう。ひとたび深く傷ついた日本の信用の恢復には、歴史の歪曲を生じたそもその源泉にさかのぼり、そこでの根本の姿勢を改めることによって、公正な真理教育の実施を内外に実証しなければならないはずである。

ところが、日本政府の対応は、どうであったか。後でも述べるように、中・韓両国の政府との間にいちおうの了承を得る〝外交的〟な処理方針には到達したとはいうものの、両国の訂正要求の主な部分を呑んだ形になっただけで、上記のような基本にふれる措置はおよそなされなかった。検定制の根本問題は、むしろそのまま残されており、将来に長く尾を引く課題とされたのである。

それにしても、八二年の夏から秋にかけて、中・韓両国の激しい論難と（教科書再訂正の）要求に対し、日本の政府およびその部内の対応の仕方は、きわめて特徴的であった。その主な経過を一瞥（いちべつ）することは、この問題に対する日本政府側の理解の仕方や、とりわけ検定の主体となってきた文部省（およびその背後の諸勢力）のものの考え方を測るのに、少なからず役立つだろう。ほぼ時系列に沿って、対応の特徴的な側面をあげてみることにする。

教科書批判がはじまった初めの頃（七月中下旬から八月初め）は、政府もその深刻さを十分に認識せず、とくに文部省は事態を甘く見て、当初は真面目にとり組む姿勢さえ示さなかった。中国の公式抗議が来ても、〝制度を説明すれば分かるはず〟だとして、〝教科書は民間で作られている〟といった、虚偽的な建前論で切り抜けようとした。そうした責任回避の弁明は、教科書統制の実態を見抜いていた中国などに通用しないと分かってからも、南京事件などについては〝史料に乏しい〟とか、「侵略」より「進出」「進攻」の方がより客観的な表現であるとか、まったく小手先の説明で逃れようと努めた。

この種の形式的な「説明」は、国内の執筆者を力づくで抑えこんできたときの常套の言い方にほかならないが、それらが国際的に説得力をもちえなかったことは当然である。

やがて中・韓両国の修正要求が、いっそうきびしい形で現われ、政府はその厳しさにあらためておどろき、本格の対応をみせざるをえなくなる。文部省の形式的な建前論が、かえって両国の反発を買い、外交関係にも悪影響を及ぼしはじめるに至って（八月上旬）、外務省は積極的に――外相所見の形で――教科書の再改訂の必要を説き、両省の対立と政府の混乱が深まるに至った。

行政部内の対立の収拾

外務・文部両省の対立を基軸に種々の曲折を経て、問題の収拾は結局、①日中共同声明などに表明された戦争責任の認識に基づいて「記述を修正する」、②改訂検定を繰りあげるが、具体的な時期や方法は明記せず、その扱いを教科用図書検定調査審議会（検定審議会と略称する）に速やかに諮問する、という段取りでおこなわれた。この線で中・韓両国のいちおうの了解を得ることによって、当座の局面に弥縫（びほう）される形になった。文部省はこのようにして、大幅な後退を余儀なくされ、メンツのうえでも大きな傷手を受けた。

こうした事態においても、文部省および自民党文教議員は、「検定死守」の路線を固執し、国際的非難や改訂要求は〝内政干渉〟であるとか、〝主権国家として外圧に屈すべきでない〟とかの、的はずれな感情論までむき出しにする有様であった。しかし、政府は混迷の中にも結局、「教科書問題を、わが国と近隣諸国の相互信頼にかかる重大な問題と受けとめ」「早急に姿勢を正す」（桜内外相所見）という方向に向けて、国内の調整作業を進めることになる。国際的な破綻を避けるためには、文部省の抵抗があっても、〃修正への見切り発車〃をせざるをえないとしたのである。右のような外務省の選択は、教育論ぬきの一面的な判断ではあるが、文部省の狭い視野と頑迷な自己固執にくらべると、まだしもずっと合理的であったといえよう。

しかし、外務省のイニシアティブに属せざるをえなかったものの、〃検定固守〃の旗を文部省を放棄したわけではない。文部省および保守文教議員たちのホンネは、外務省との対立過程でもしばしば吐かれたように、「日教組の偏向教育」との対決に勝つのが最大の眼目であって、それとの関係で〃家永訴訟で負けたくない〃という、当面の闘争目標があった。そこでは外交上の国益よりも「党益」と「省益」が、判断の優先基準になっていたといえようか。

そして文部省のその基本目的が、同省の〃敗北〃にもかかわらず、かなりなまでに守られたことは、注目に値する。教科書検定の肝腎の中枢システムじたいは、手つかずに生き残されたからである。政府も与党も、そこまで根本的に改革する気ははじめからなく、その点では文部省とそれほどの違いはなかったように思われる。

文部省の諮問に基づいて、上掲の検定審議会は八二年一一月に「答申」を出した。それはしかし、政府のあいまいな修正方針と文部省の〃検定固守〃の路線に沿って、ただたんに社会科の検定基準に、近隣諸国との間の「近現代史の歴史的事象の扱いに当たっては、国際理解と国際協調の見地から必要な配慮がなされていることとする旨を検定の基準に加える必要がある」といった、お座なりのものにとどまった。教科書検定の本質についての検討はもちろん、多くの執筆者が要求してきたその密室性の是正というミニマムの要件さえも、何ら考慮されることなく終わったのである。官庁お手盛りの審議会はもともとそういうものだといえば、身もふたもない話になるが、権力＝恣意的な検定制の続行が当然のように前提されたことは、教科書問題の前途になお暗雲を残したといわざるをえない。

虚妄の〝解決〟の問題性

以上のような経過から、われわれは何を得ただろうか。問題はなお進行中であるから、将来の史家に判断を委ねなければならない点は多いが、少なくも次の諸点が再確認されうると思われる。

(1) 第一に、繰りかえし見てきたとおり、政府の外交的収拾は、教科書問題の根本的解決にはならない。具体的措置の不十分なために、将来も国際的に問題が蒸しかえされる可能性はかなり大きいだろうし、とくに韓国民衆の対日不信感をぬぐい去るような抜本策はおよそなされていない。

(2) 前段で述べたように、検定制そのものが手つかずに維持され、むしろ強化されていることは、国際および国内の批判にもかかわらず、問題の本質部分が未解決のまま残っているということを意味する。その限りで文部省は、その〝初志〟を貫徹してきているといえよう。

(3) 文部省と保守文教議員（および右翼的検定強化論者たち）は、国際社会ではその思想の独善性や超保守性やアナクロニズムのゆえに、非難や軽蔑の声を浴び、国際的に通用しないことが確認されたけれども、日本の政治社会の磁場では、検定制を足がかりに、国内の教科書問題を左右する力は失っていないとみられる。

(4) 右の三点と関連して、日本の革進勢力や野党が、あれほど国際問題化した教科書検定について、制度の廃止ないし改革をかちとる運動を展開できなかったということは、遺憾ながら重い事実である。以前から検定制の改革を求める執筆者たちや〃教科書を守る会〃などの叫びが挙げられてきたうえに、国際世論ともいえる批判があれほどに燃えさかったというのに、分裂や退行を続けてきた野党は、混迷する政府に改革を迫る力も意志も持ちえなかった。教科書問題の重要性に対する認識の欠如も、その理由の一つであったと思われるが、野党の無気力さは非難に値するといわねばならない。

(5)　さいごに、中国が指摘した教科書問題と日本の右傾化・軍国化は、上述の経過の中で、ついに軌道修正の端緒さえもつかめず、中曽根内閣の出現を機にかえって急スピードで推し進められるという状態になった。右の(4)とも重なるが、革新勢力の退潮や広い国民の無関心などが手伝って、日本の平和主義と民主主義の変質が進んでいることは、重大な危険をはらんでいる。

ただ、政府＝与党がとっているこの方向には希望も展望もなく、むしろ中国をはじめとするアジア諸国の不信を大きくするだけだということは、教科書問題の与えた最大の教訓である。この教訓を生かさない小手先のごまかしや、日本の国内だけに通用する権力的論理によっては、事態の真の解決はできず、日本および日本人に対する尊敬を得ることなどは、まったく望みえないと断じてもよいであろう。この意味で、政府・文部省の対応は、つまるところ虚妄の途に終わると思われる。

4　むすび――検定制の改革をめざして

"結着"の意味とバランス・シート

教科書問題をめぐる一九八二年の"夏の陣"は、うえのような形で中途半端な結着に終わった。前節で述べたとおり、問題の真の解決は、教科書検定の制度の根本的な改革以外にはありえないから、それをめぐる内外の諸力の角逐は、これからも長く続くことになろう。この核心問題の再検討に入る前に、ひとまず文部省に焦点を当てて、右の"夏の陣"のバランス・シートを見ておくことは、無意味ではないだろう。

(1)　外務省との対立で、対外的措置のイニシアティブを完全にとられたのは、客観的にも主観的にも文部省の敗北であった。

(2)　前者の側から、文部省の"度しがたい硬直性"と"国際感覚の欠如"が指摘され、その批評が一般にも肯認されたことは、文部省の「権威」(仮にそういうものがあったとしての話だが) をかなり引き降した。

(3)　文部省の対外的弁明が、中・韓両国に対しまったく通用せず、むしろ不信感を増大させたのは、検定の独善性を国際社会で実証する結果になった。

(4)　政府の方針が外務省の路線に決定されたときには、文部省と保守文教議員は、それまで背中に負ってきた"虎の威"を失い、一時は"孤立"に陥った。

(5)　そして、何よりも「侵略」などに関する再改訂の約束は、これまでの同省の検定制を正当化する主張に、大きな打撃を加えることになった。

しかし、国内政治の面では、文部省は右のようなダメージにもかかわらず、検定制を維持し、検定審議会などを使って、教科書の記述是正を最小限にとどめることにいちおう成功した。ホンネとしての教科書統制（ひいては〝日教組退治〟）の目的を変更させない、という〝成果〟を得た点では、〝敗北〟感はないしのかも知れない。――決算表の実質はけっきょくのところ、検定制のありようがこれからどうなるかによって定まることになるであろう。核心問題は、まさにこの点にある。

この最後の問題は、たんに外交上の配慮で「記述訂正」を実施するというだけの、形式的な弥縫策で済まされてはならない。まして文部省が国際的批判に対しておこなったような、虚妄な弁明で胡麻化すことは不可能であり、いっそう大きな非難と軽蔑を買うだけである。文字どおり〝国辱〟としかいいようのない事態をひきおこした文部省の検定の本質を検討し直し、その根元から国際批判に応えうる公正な改革をおこなう必要があろう。八二年の国際批判は、教科書の部分的な過ちに対する一時的・経過的な反発ではなく、もっと根深く、日本の政治の基本姿勢を問い（中国の場合）、さらには日本人の道義的人格に対する不信までつきつける（韓国の場合）点で、本源的かつ長期的な問いを含んでいたからである。これからもアジア諸国のきびしい眼が日本の教科書検定にそそがれていること、いいかえれば検定制は国際的な政治と文化の法廷でもその罪業を問いつづけられることが、忘れられてはならない。

真の解決策の方向と具体案

こうした状況の中で、日本の教育行政の建直しをする唯一の道は、真理教育の本義にたちかえって、冒頭に述べた現行検定制の悪しき性格――権力制・政治的偏向性・閉鎖性・恣意性など――を根本から変える以外にないであろう。それはつまるところ、日本の教育の軌道を憲法＝教育基本法の原則に戻し、教育の公正と自由を回復させることに外ならない。

この道は、文部省の中枢部や保守文教議員が固執してきた検定路線に、大変更を求めることを意味するから、おそらくこれまでにもまして大きな政治的・イデオロギー的衝突を免れないだろう。しかし、反動的な恣意と独善で歪められた検定制が、日本の教育のみならず〝国益〟をさえも大きく損ねた事実にかんがみるならば、保守勢力もその誤りと反合理性のマイナスに気づくに違いない。もしそうなれば、ロスの多いたたかいにかえて、ゆるやかな改善を重ねていく可能性も生じよう。

今日、教育の現場で起きている暴行・殺傷・自殺などの不幸な荒廃状況が、検定の強化の歩みと並行していることをあわせ考えれば、そのような改善を一環とする民主教育の建直しは、党派を越えた国民共同の仕事になりつつあるといわねばならない。

こういう改善策の一つとして、非権力的で公正な教科書検定の方法が考えられよう。それは同時に、国際的にも国内的にも、民主的公正さを担保するために、情報公開の原則を最小限の条件とすべきである。そうした要請を前提したうえで、第二次教育制度検討委員会が発表してきた、「教科書の検定と調査」に関する次のような試案は、国民的な検討に値するであろう。

「①　教科書検定調査委員会の性格および構成と任務

教科書の検定と調査をおこなうため、教科書検定調査委員会を設ける。その性格、構成は、教育課程委員会と同様とする。現行の教科用図書検定調査審議会および教科書調査官は廃止する。この委員会は教科書の検定をおこなうほか、内外の教科書について不断に調査研究を行ない、そのための条件をととのえる。

② 検定の手続

委員会は、教育課程委員会が作成した教育課程の試案にもとづき、教科書の内容や表現について専門的な助言をおこなうが、修正意見の強要や合否の判定はしない。意見はすべて文書によって伝えられ、その採否は、執筆者・編集者の判断にゆだねる。

検定の手続は簡素化し、完成した原稿についての助言だけにとどめ、現行の内閲本の審査はおこなわない。

検定の申請は、だれでも、いつでもおこなうことができる。その費用は無料とする。」

くりかえしていうならば、閉じた党派性と権力による恣意と独善を教育の場から排除して、民主教育の原点に立ち戻ることが、教科書制度の改革の基本とされなければならない。それによって、自由と公正を恢復し、豊かな人間を育成しうる教育システムを確立することが、国際社会に敬意をもって評価される教育への唯一の道であり、現下の教育荒廃を匡正する政策の出発点となるとおもう。

教育の自由を原点とする右の改革方針はまた、文部省・中教審が企図しつつある教科書採択の方法の改悪（いわゆる広域化）についても、原理的に妥当する。

第6章　教育制度改革の方向

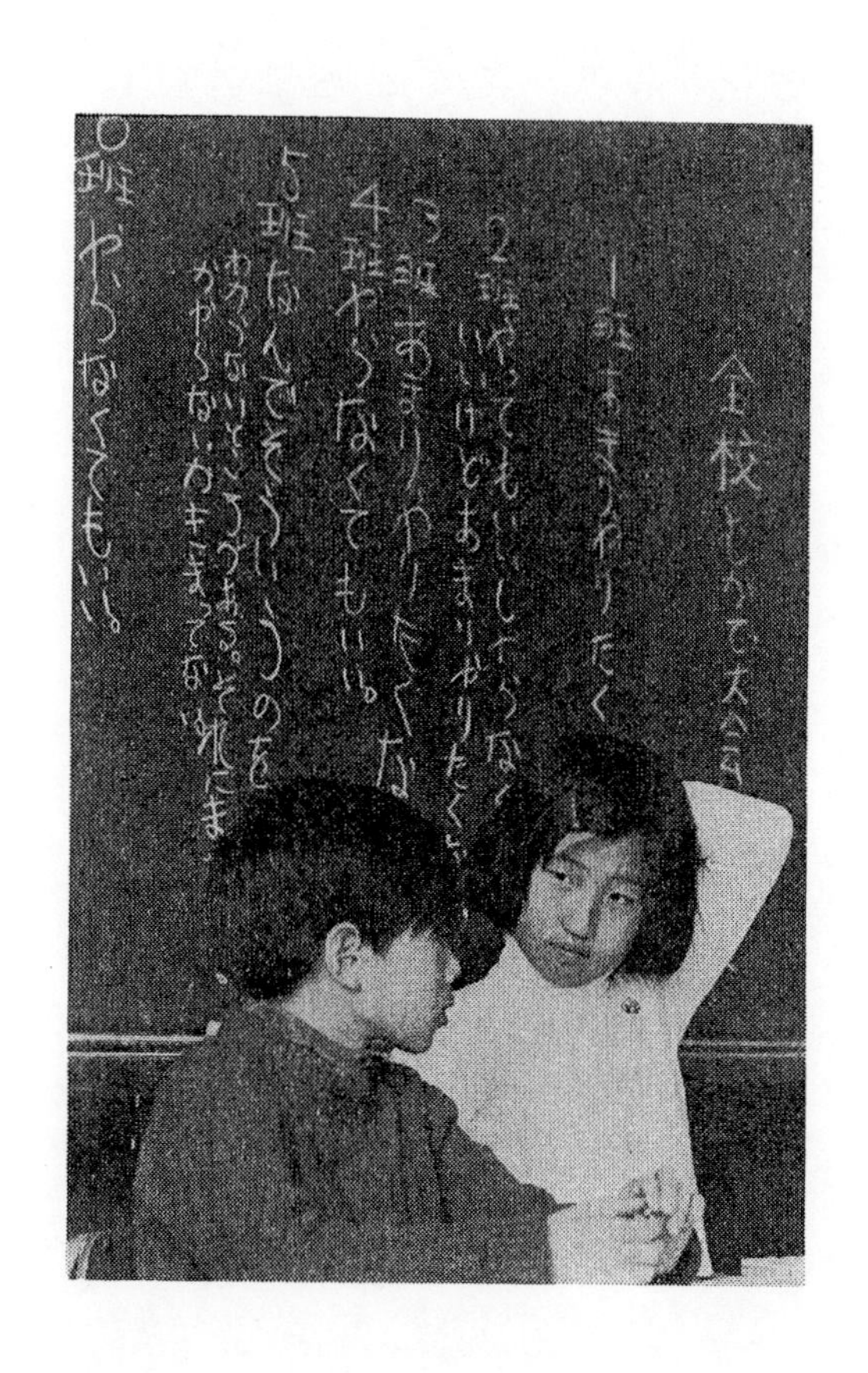

I　教育改革の原理を問う

——文部大臣への公開状——

〔まえおき〕　本章は、一九七一年に中央教育審議会（以下、中教審と略す）の答申が出された段階で、それに対する批判を、当時の文部大臣への公開状の形で出し（I）、これに対する反論に向けて再批判をおこなった（II）、ふたつの部分から成る。そういういきさつからすると、いわば〝歴史的文書〟にすぎないともいえるが、その原則的見解はもちろん、内容の大筋は、今日の文教政策にもほぼ当たっていると思う。以下、その書き出しの大略を掲げておくことにする。

拝啓　坂田文部大臣殿

先頃、中教審答申が出された折、Fテレビの討論会でお話しする機会を得ました。もっとも、「討論会」などといっても、私にはたった二回の発言の機会しか与えられず、私の方からお話し申し上げたかった事柄は、まったくのところ何分の一もしゃべれなかったので、大臣および森戸中教審会長のお話を聞かされる会になった憾みが残りました。もともと時間に制約されたテレビの番組で、教育改革のような大問題について、十分に掘り下げた議論を期待するのが間違いだ、といわれるかもしれません。しかし、中教審のあの答申とそれを受けた文部省の態度に対して、問わるべき問題点は山ほどもあります。そのなかのもっとも重要なものについても、突っこんだ議論がまるでなされないままに終わった不満は、私個人の「腹ふくるるわざ」と笑ってすごせることではないように思われます。中教審答申にはすでに各方面からいろいろな批判が出ておりますが、私の眼からみた若干の根本問題をあげて、文部省として是非とも出発点から再検討していただきたいと考え、あえて重い筆をとったしだいであります。

なお、この便りを公開状の形で差し上げるのは、何よりもここでふれるすべての問題が国民的討議を必要とするものであり、国民各層の間で活発に議論されてほしいと考えたからです。文部大臣からも、あるいは坂田さん個人としての立場も、御意見なり反論なりを公開していただければ幸いに存じます。新聞の伝えるところによりますと、参議院選の後には内閣改造が予定されているといわれております。ひょっとすると坂田さんは——健康を損ねられていることもあって——この手紙が出されている頃にはやめておられるかも知れない、といった噂も聞えてきました。

しかし、内閣の改造で文相の更迭があっても、中教審答申を受けた文部省のありように、そう大きな変化は生ずるとは思われません。したがってまた、仮に新文相になっても、この手紙の趣旨も、そのまま変りありませんから、新旧双方の文部大臣に読んでいただき度いものであります。ただ、そうした更迭の有無にかかわらず、坂田さんは、中教審の答申に至るまで、これともっとも深い関わりをもち、また教育改革に対する関心や知識の点でも余人の及ぶところではないはずであります。そういう意味では、坂田さんの御返事が得られることは、筆者のみならず、教育に関心をもつ多くの国民の方々も、もっとも期待するところと申せましょう。改造劇の行方には意を払わず、手紙をまずは坂田現大臣に宛ててさし上げるゆえんです。

1 「改革」の姿勢と視点

中教審の最終答申は、幼児学校をはじめとするいわゆるパイロット・スクールの新設とか、高等教育機関の五種別化、〃飛び級〃の採用など、諸種の提案を盛って文部大臣に手渡されました。中央教育審議会の高齢の方々が四年にわたる検討の結果、「長期の見通しに立った基本的な文教政策」をまとめられたというので、その労苦に敬意を払いつつ、私もさっそくこれを読んでみました。結果はしかし、一読して落胆し、二読して憂慮し、素人ながらどうしても黙ってはいられなくなったしだいです。

断っておきますが、私も今日の内外の諸状況が教育改革を必要としていることを認める点では、文部省や中教審の方々と同意見であります。とくに「技術革新の急速な進展と国際的にも国内的にも急激な変動が予想される今後の時代における教育のあり方を展望し」て、根本的な改革を構想する必要があるということに、まったく異論はありません。問題はただ、この教育改革をどの方向に向けて、誰のために、どのように推進していくかという、基本の目標と姿勢およびその前提となる認識の視点にあるわけです。残念ながら中教審答申は、これらのいずれにおいても、教育に関心をもつ多くの国民の期待に反しているとしか思われません。

今日の世界状況の認識を欠いていないか

第一にこの答申は、現代社会の急激な変化にふれながら、人類が当面する今日の世界の状況について、どれだけの認識をもって書かれたか、はなはだ不分明であります。教育の視点から捉えておくべき状況は、たえず移り変わる国際関係の個々の出来事ではなくて、人類の生き方にかかわる根本的な事象に限られますが、そのように限定しても、逸することの出来ない問題はたくさんあります。

水爆、ロケット、コンピューターなどの組合せによる軍事技術が、人類をいつでも絶滅状態に追いやることのできるダモクレスの剣になっていることは、つとにケネディらによって警告されてきた現実ですが、そんな問題は教育とは無関係だというのでしょうか。

また周知のとおり、産業公害をはじめとする人間による環境破壊が、大気・河川・土壌から海洋にまで及んで人類生存の条件をも奪いさりつつあるという状況は、教育のあり方にも根本的な反省を促しているのではありませんか。さらに、交通通信の発達や人口の増大によって、地球が日ごとに小さくなっていく今日、環境の保全だけでなく資源の配分や使い方についても、世界大のプランニングが、どうしても必要になってまいります。このように見てくれば、ゴードン・テイラーのいうように、地球はまさに有限の資源を積んだ一つの「宇宙船」にほかならないし、このちっぽけな惑星のうえに人類が生存していくのには、人口の増大や技術の進歩をコントロールできる創造的な英知が求められています。

今回の中教審の答申は、産業界の要望の見地から技術革新に応じようとする姿勢を示していますが、上述のような現代の世界史的状況にはほとんど関心を示していないようです。「社会環境の人間に対する挑戦」について、多少の作文をしてはいるものの、真の問題意識をもっているとは考えられません。だからこそ、この答申のなかには、世界のなかの日本人という自覚も、人類の課題に取り組むという意欲も欠けており、逆に狭い国家主義に傾く色合いがつよくうかがわれるわけです。

現代における教育改革が、人類の当面する切実な課題と切りむすぶ姿勢なしに、どうして達成できるでしょうか。

日本の教育の現状は、どう捉えられているか

第二に、中教審の人々が、今の日本の教育の現実をどれだけ正確に認識し、その問題性を理解したうえで答申を書いたのか、疑問になります。むろんこのなかには、今まであまりにも無視されてきた身心障害児らに対する「特殊教育」の積極的な拡充が説かれ、また教員の資質の向上をはかるために、その専門性にふさわしい待遇を与えるべきだというような、至極もっともな提案がなされています。

しかし、誰しも異論のないこれらの施策は、もともと教育の条件を整備すべき文部省が当然に実現していなければならない事柄であって、今ごろ教育改革の名で打ち出されることがおかしいといわねばなりません。早急に改善を要するこの種の要求——幼稚園から大学院に至るまでの諸種の教育施設の整備、父母の教育費負担の軽減など——のほかに、改革を語る以上どうしても考慮すべき現実的な問題がたくさんあります。

それらをいちいち列挙することは不可能ですから、ごく手短かにまとめていえば、日本の教育がひどい荒廃にさらされ、児童や青年たちが大きな被害を受けているということです。その原因は多様ですが、とりわけ、①教育の政治化と統制、②激烈な受験戦争から生ずる教育の歪みの二つがあげられるでしょう。このうち①の問題は、見方の違いによって異なった意見が成り立ちますから、後で別に論ずることにします。②の現実は今さら説明するまでもないほどの常識ですが、皮肉にも教育に対する国民的要求が高まる反面で、ますます大量の子女をスポイルする傾向がつよまっております。テスト本位の学習に駆りたてる競争が、柔らかな青少年の魂を傷つけ、情操の芽をつみとり、体力を磨滅し、何よりも創造力を駄目にしてしまうことは、誰の眼にも明らかなはずです。

ところが答申は、「大学入学者選抜制度の改善」の方式として、高校の調査書や「広域的な共通のテスト」などの技術の改良をすすめるだけで、この問題を根本から解決するために何が必要かについて、本格的な考慮は払っておりません。むしろ逆に、いわゆる知育中心の能力主義的な選別を従来にもまして徹底していこうとする点で、事態の本質を理解しようとする気さえないことをみずから示していると評されても、やむをえないでありましょう。

教育改革は何のため、誰のためのものか

第三に、教育の目標が問題です。この答申とこれを受けた(正確には〝それを出させた〟というべきでしょうか?)文部省は、いったいどの方向に日本の教育をさし向けていこうとしているのか、国民はあらためてそれを問い直さなければなりますまい。答申によれば、「教育がめざすべき目標は、自主的に充実した生活を営む能力、実践的な社会性と創造的な課題解決の能力とを備えた健康でたくましい人間」であり、またさらに、「さまざまな価値観に対して幅広い理解力をもつとともに、民主社会の規範と民族的な伝統を基礎とする国民的なまとまりを実現し、個性的で普遍的な文化の創造を通じて世界の平和と人類の福祉に貢献できる日本人でなければならない」とされています。

種々の観念をつづりあわせたこの文章によって、一般国民はどういう人間像を画くことか、私には想像できませんが、それでもかつて中教審が出した「期待される人間像」(一九六六年)のような奇怪なマンダラ模様とくらべると、少しはましになっているといえるでしょうか。たとえば後者が掲げた〝正しい愛国心をもて〟とか、〝日本国の象徴たる天皇を敬愛せよ〟といったお説教は、今度の答申に

は現われていないし、むしろ「個性の伸張」や「個人の可能性の豊かな開花」を力説するあたりに、近代的なスマートさをみせているともいえます。

しかし、今回の答申が前の「人間像」をまったく新しく鋳直したかといえば、決してそうではなく、後でも述べるとおり以前にもまして色濃い国家主義の性格を帯びていることは、否定しがたいところです。答申は申し訳のように、憲法や教育基本法にちょっとばかり言及していますが、じつは基本法の精神は押しのけられ、「国家」があらわに前面に出てきました。朝日新聞の社説は、ここに明治教育の目標の再現を見出し、経済成長の政策に適合した方向、すなわち「国家の繁栄のために教育を手段とみなし、国民を国家目的達成のために総動員しようとするもの」だと評していますが、これは答申の本質をいいあてているといってよろしいでしょう。

第四に、教育改革は一体誰のためなのか、という問いをも含めて、中教審および文部省に対し、教育の意味と本質をどう考えるかたずねなければなりません。これについては、少しく突っ込んで考えるべき論点がいくつかありますので、節を分けて述べることに致します。

さいごに第五点として、教育改革の方法論、つまりそれを誰が（主体）・どのように（手続）進めていくべきか、是非とももう一度問い返す必要があります。おそらく文部大臣は、この答申と同じく、それは政府が主導して為すべきことだとおっしゃることでしょう。しかし、あたかも自明の原則のようにそう断定するところに、まさに最大の原理的な問題——あえて私の主張をいわせていただくなら、民主国家の教育政策としては「根本的な誤謬」——があるといわざるをえません。これについても、後にもう一度申しのべることにします。

反対論や批判的な意見を読むのは誰にとってもシンドイ仕事かもしれませんが、私もまた忍耐づよく答申を読んでみました。大臣はじめ関係諸官にも、この手紙書きの労を汲んで、せめて一読していただくよう、蛇足ながら希望を申し添えるしだいです。

2　教育の意味と本質

中教審の教育観の実質

教育の専門家でもない私が、教育の本質といったテーマについて語るのは、ひどく面はゆいことで、その資格があると称する自信はありません。ただ、それを承知であえてこの問題に言及するのは、答申の教育観に根本的な疑問を感ずるからです。

中教審の見解によれば、「教育は、人間の豊かな個性を伸ばし、望ましい目標に向かって個人の可能性を最高度に発揮させると同時に、教育基本法にも明示されているように、平和的な国家・社会の形成者の育成をめざすものである」、と規定されます。これは悪くはありません。教育の完全な定義づけが問題ではない以上、抽象的な一般論としては、この定言に異を立てる必要はなさそうです。答申はまた、「個人の可能性の豊かな開花をめざすことが公教育の任務である」ともいっております。自由な個性の全面的開花という目標は、前から教育学者や日教組も掲げていたことで、この点では両者の間にも争いはないはずです。

ただ答申の右の文言には、国家・社会の「伝統の継承と規範の体得という共通の基盤」が、不可欠の条件としてつけ加えられています。そこでは「人間は本来国家・社会を離れて生きるものではなく、個性の伸張や創造力の発揮もその文化の伝統の上にはじめて達成されるものである」、という考え方が前提となっています。これも一つの社会的事実の認識であるかぎりは、とくに目くじら立てる程のことではありません。しかし、中教審の発想が全体としていちじるしく国家主義に傾斜していることを考えあわせると、右のような枠をはめられたうえでの「個性の伸張」が、はたして真に全人格の可能性の展開を意味するかどうか、たいへん疑わしくなります。

「能力主義」的選別の禍害

それにもまして問題なのは、「豊かな個性を伸ばす」という原則にひどく矛盾する知育偏重の教育がおこなわれてきたこと、および答申がそれに輪をかけた能力主義を推し進めようとしていることです。さっきもふれた受験競争――その実態がまさに「試験地獄」の表現がぴったりするほどひどいことは、御存知のとおりです――とそのあおりを受けたテスト重視の教育は、子どもたちの「豊かな個性を伸ばす」どころか、まるで正反対の結果を大量に作り出しています。

教場でのテストの連続、学習塾や予備校でのテスト訓練などが、伸び盛りの子どもや青年の体力や感性をどれほど傷めつけているか。受験のための片々たる知識や技術の習得にエネルギーを費すことによって、子どもたちの創造力や基本的にものを考える能力がどれほど奪い去られていることか。またその結果として、学問や芸術への真の理解や情熱も、友だちとの「遊び」や語らいによってはぐくまれる人間性も、どんなに歪められているか。――こうした実態を考えれば、いま到るところで、恐ろしい教育破壊がおこなわれていることに、暗然たる思いを禁じえません。

右のような事態は、個々の子どもたちの成長を歪めるだけでなく、社会にも大きなマイナスを生じます。知識中心のテストに適応できずにふるい落されたたくさんの子どもたちが、「能力」がないと判定され、不当に扱われることによって、深い心の傷を負わされたら、社会に背を向けて〝堕落〟したり、反逆したりするのも、ある意味では当然といえましょう。このようにして、おびただしい青少年の大群が、挫折感や不満を抱いて社会に出ていく結果、本人たちも社会も、どれほど大きな損害をこうむることか。

私は、今日進行しつつある教育の病理について、大臣はじめ文部行政にたずさわる人びとが、少しでも実証的に検討されることを願わずにはいられません。そうすれば必ずや、今日の日本の教育改革が第一に着手すべきポイントは、在来おこなわれてきた能力主義的な選別とその上に立つ受験体制の変革にあるという結論に到達するであろう、と確信いたします。豊かな個性や創造力をもった主体的な人間は、今のような馬鹿げたテスト主義教育の下では、むしろ圧しつぶされるだけで、よほど特別な例外者でないかぎり育つはずがないからです。

誤解を避けるためにいっておきますが、私は人さまざまな能力に違いがあり、それによって進学や就職の振分けをおこなうことが、まったくいけないなどというのではありません。運動能力がまるでないのにプロ野球の選手になろうとしても出来ないのと同様に、研究能力をもたない人間が大学院に入りたいといっても、これは無理な相談です。だから職種に応じて、きびしいテストを当然に前提してもよい分野があることは、私もむろん認めます。

ただ、わが国の「能力主義」は、人間がもつ多様な可能性としての能力ではなく、テストに順応した学力や知識によって成績のランクをつけ、進学その他の振分けをおこなうことに特色があります。そしてそこで用いられる基準は、第一級の大学→そこへの進学率の高い「一流」高校→同じく「一流」中学といった具合に、すべての学校を格差づける傾向と結びついて、人びとに生涯つきまとう評価をともなっています。

学歴偏重と表裏をなすこうした能力主義は、おそらく日本の企業が要求する「能力」の開発に当面は役だつかもしれませんが、これによって差別された大量の人びと、成長期の途中で選別テストによってはじき出された青少年たちをどれほど疎外するか、計り知れないものがあります。現に、クラスの半分以上を置きざりにして、受験用の進度でつめこみ勉強を進めている学校が到るところにあるといわれていますが、いったいこれが教育といえるのでしょうか。

憲法二六条はすべての国民に「能力に応じて、ひとしく教育を受ける権利」を認めていますが、そこでいう能力は、幅広い可能性をもつ人間の個性的な能力を意味するものであり、それ以外の差別をしてはならないという平等主義を述べているにほかなりません。これに対し、実質上の社会的差別を作り出す「能力主義」の政策は、むしろ憲法の平等原則に背馳するものというべきでしょう。

「多様化」と幼児教育のあり方

右の問題と関連して、答申が大いに喧伝している「多様化」と幼児教育のあり方も、批判と検討を必要とします。後期中等教育の多様化は、すでに以前から中教審や産業教育審議会などによって要望され、制度化も進められてきていますが、今回もまた「生徒の能力・適性・希望などの多様な分化に応じ、高等学校の教育内容について適切な多様化を行うこと」が、方針として打ち出されています。この提言は、教育指導が個人の特性に応じてなされるべきだという観点からみれば、たしかに合理的理由を含んでいます。しかし、その実施が前述した能力主義と○×式テストによる「進学指導」と結びつくかぎり、産業社会の作った尺度による格づけをいっそう制度化するに過ぎなくなりましょう。だから多様化を、ただちによい意味の合理化とみるわけには参りません。

さらに、教育の本質からみてもっと問題になるのは、幼児教育の構想です。「幼稚園教育の普及充実」の必要については、私も異議はありません。しかし、五歳児入園から進んで、いわゆる「先導的試行」として幼児学校を設置してゆこうという政策が、さきの能力主義とセットにされておこなわれると、いったいどういうことになるのか心配です。

これに加えて〃飛び級〃制などが認められると、奇妙に歪んだエリート学校ができたり、そのコースを目がける教育ママさんたちの競争が、今日にも増して子どもをスポイルする結果を生じないとも限りません。ただでさえ過剰なつめ込み勉強の重荷を負わされた子どもたちは、彼らの心身の発達に必要な遊びや〃無駄な時間〃を奪われ、瑣末な知識をつめこんだ暗記機械にされはしないでしょうか。いまの日本の教育状況をそのままにして、〃英才〃教育や飛び級制をおこなうことは、弊害の方がずっと大きいと見なければなりません。

一般的にいって、情報量が不断に増大している今日、在来の教育期間ではどうしても足りなくなっている実情は、私も十分に認めています。現に大学におけるカリキュラムが過飽和の現象を呈し、大半の学生が一種の消化不良に陥ったり、自主的な勉強をする時間も得られないといった状態は、何とか早く解決しなければならない宿題を私たちに課しております。しかし、この打開策として幼児教育にしわ寄せていくやり方は、色々な意味で好ましくはありません。

私は答申を読みながら、ルソーが幼少時の教育について〝時を無駄にせよ〟といった逆説を思い出さずにはいられませんでした。『エミール』の第二篇でルソーは、「子どもの身体や器官や感覚や力を訓練させるがいい。しかし、その精神はできるだけ長い間遊ばせておくがよい」と述べていますが、これは現代の子どもにもそのまま当てはまると思います。作為による知的造形を急ぐよりも、むしろ、〝遅れることはすべて利益だ〟とルソーがいった意味を、私たちは反芻してみる必要がありはしないでしょうか。

教育は、誰のためになされるか

幼児教育への右のような見直しは、ふたたび教育というものの原点に立ちかえる必要を痛感させます。子どもたちをただやみくもに駆りたてて、「成功」へのルートに乗せようとする父母たちも、産業社会の要請に応じて手っ取り早く役立つ「能力」を身につけた人的資源を開発しようとする文部行政者も、ここで何よりも当の教育の受け手の側に視点を移して、教育の意味を考え直してみるべきではありませんか。こうした発想は、そもそも教育は誰のためになされるか、という原理的な問いに接続します。

現実の教育は時として、親の見栄や希望のため、行政官や校長や教組のため、あるいは「国のため」や支配層のためになされることがあります。だが、教育本来の趣旨からいえばそれは、何よりも教育の受け手のため、つまり（多くの場合）子ども・青年それじたいのためになされるべきであり、彼らの育成を通じて社会・国家・世界の在りようにつながる活動だというべきではないでしょうか。この意味で、民主憲法が保証する「教育を受ける権利」は、もっと積極的に国民（とくに学生・生徒・児童）の学ぶ権利、すなわち人権としての学習権として捉え直されることになります。

幼児から成人に育っていく過程で、発達の段階に応じてそれぞれにふさわしい教育がなされなければならないことは、中教審も強調しているところですが、それは、未熟の段階における受動的な学習から、しだいに主体的な自己教育に向かってゆく発展として総括されうるでしょう。子どもに教育を与える父母も教師も、みずから不断に学びながら、子女の学習権をもっともよく実現していく方法を考えていくことが、高次の義務となると思います。国家（とくに行政権）もまた、この点で重大な責務を分担することは、いうまでもありません。

ただし、上記のような教育の本旨からいえば、国家がその当然に担うべき役割を超えて、みずから不遜にも教育の主体であるかのように主張し出すと、教育は重大な危険にさらされることになります。率直に申しますと、従来の文部行政じたい、種々の面でそうした危機を現実化してきたし、また中教審の答申もそれをさらに倍加するおそれがあると思われます。今日の教育改革案が、とくに教育の原理そのものから、いわば根本的に検討されなければならない理由は、ここにあります。

3　教育権の所在と原理

中教審の「政府主導」主義

ところで中教審の答申のきわだった特色は、さきにも一言したように、国家主義あるいは教育の中央集権化への傾斜に見出されると思います。テレビでお会いしたとき、私が冒頭に〝教育管理国家になるおそれがある〟と申しあげたのも、この事実を率直に述べたにすぎません。坂田さんも森戸さんも、そういう指摘にいささか気色を損じられたようでしたが、少なくも政府主導の立場が中教審の「基本構想」の全体を貫く基調となっていることは、諸新聞なども認めた歴然たる事実であります。順を追って若干の事例をあげてみましょう。

(1)　答申はその前文で、改革の実行いかんは「もっぱら政府の決意と努力のいかんにかかっている」とし、「政府の勇断を切望」している。

(2)　第一篇第二章では、公教育の向上や学校教育の普及充実に努めることは「政府の任務」だと強調し、政府が適切な施策の推進をはかるべきだとする。

(3)　国は必要の限度で「適正な教育課程の基準を明確に定める必要がある」。

(4)　私立学校や私立幼稚園に「財政援助」をおこなうべきだが、同時に「必要な行政指導」を充実すべきだ。

(5)　学校の「管理組織」、校長以下の「管理上・指導上の職制を確立しなければならない」。

(6)　国は教員養成大学の整備に努めるとともに、計画的な教員養成について「適切な措置」を講じ、研修制を設けるべきだとする。
(7)　高等教育に関する第三章でも、大学に「効率的な管理機能」を確立すべきだと説き、大学の「閉鎖性」を排除し、「国家社会に対する公共的な機関としての責任感」を強調する。
(8)　とくに国立大学の運営上の「最終責任は、文部大臣が国民に対し」て負うべきはずなのに、大学への権限委任の結果として責任体制は不明確であるから、この「欠陥」を改める必要がある。
(9)　第二篇でも、そこでの諸施策の遂行のため、「文部省の体制を確立すること」が要望される。
(10)　政府は研究開発を「強力に推進できる体制を確立すべきである」と激励される。
(11)　高等教育の改革等に関する「行政体制を整備」すべきであり、既設の教育機関の改組・充実も「政府の重大な任務である」と強調される。
(12)　政府は、国・公立大学の「管理の合理化と新しい理事機関の設置または大学の法人化のために必要な法制の整備を促進すべきである」。

答申はこういった具合に、そのほか教育課程の多様化の推進、高等教育の開放、大学入学者選抜制度の改革の促進など、「改革」の全般にわたって、政府の課題や任務や責任を説いております。

以上の荒っぽい抜き書きだけみても、答申全篇が政府・文部省に「改革」の完全なイニシアティブを認めようとしていることが、はっきりと読みとられるはずです。文相にしてみれば、そんなことはいまさらいうまでもない、当然なことだとおっしゃるでしょうが、じつは政府にとって自明な行政責任の論理こそ、教育の本旨からみて根本的に再検討を要する問題なのです。

教育権の本来の主体は誰か

結論から先にいえば、政府（または文部省——以下同じ）が行政主体たる責任の名において、教育のすみずみにまでわたる統制や監督をおこなう権限を何に基づいて主張しうるのか、あらためて問いかえされなければなりません。後でも述べるとおり、私も教育における政府の任務は大きく、責任は重いと思います。しかし、国家の名で政府が教育の主体となり、その全面に及ぶ統制を企てることは、教育そのものの本質からいっても、憲法・教育基本法の原則からみても、不当な越権だといわざるをえません。以下三つの原理的アスペクトから、その理由を考えてみることにしましょう。

第一の問題は、民主国家における教育権の本源的な主体は誰なのか、ということです。民主主義の教育は、リンカーンの有名な言葉をそのまま借用していえば、″国民の・国民による・国民（とくに子ども・青年）のための教育″と表現できましょう。つまり原理的には、国民以外に教育権の主体は求められないはずです。教育権が帰属するのは、政府与党でも支配層でもなく、また官僚でも労組でもなく、父母を中心とする国民全体ということになりましょう。

これに対して、教育権が国にあるという主張は、かつて主権が国家にあるとした説（国家主権論）などと同じように、問題の本質をすりかえる虚偽的イデオロギーに外ならないと思います。主権や教育権が国にあるというとき、その抽象的な国家という観念が現実に何を意味するかが、問題であります。「国家の教育権」を主張することは、要するに政府——ひいてはそれを動かしうる支配的勢力——が教育に関する決定権をもつ、ということの別な表現にほかならないでありましょう。国家という抽象的な用語が、国民の上に君臨する客観的な精神成態だと信じこまれているところでは、国家教育権のイデオロギーは強力に機能します。しかし、どういう根拠に基づいて国家が教育権をもつのかとあらためて問われれば、ちょっと返答に困るはずです。

そこで政府が引きあいに出すのは、一見デモクラティックな議会制と信託の論理です。すなわち、憲法の前文に述べられている代表民主制の原理に従って、国民は代表者（国会内の多数党）に政治の権力を委任する、議院内閣制の下ではこの多数党が内閣（政府）を形成し、教育行政をも管轄する、というわけです。これは形式的にはいちおう筋道の通った、俗耳に入りやすい論理であります。けれども、この説明は、国民による「代表者」への政治の委任の中に、教育をスッポリ入れこんでしまっている点で、重大な陥し穴をふくんでいます。

もともと教育は政治と次元を異にしていますから、権力の行使者が教育を支配すべきだなどということは、政治信託の論理から引きだされえないはずです。そうした作為的な包摂は、教育の在り方をねじまげるもので、国民として安易に許すわけには参りません。逆に次の二点からみれば、国民の教育権の理念を確認し、政府の主張とは正反対の方向にこれを具体化していくことが課題になるでしょう。

子どもを中心とする、教育権の再構成

第二に、現代における教育権の意味は、さきに述べた国民（とくに子どもと青年）の学習権との対応で再構成していく必要があります。教科書裁判における東京地裁のいわゆる杉本判決は、この点で見事な成果を示してくれました。それは、憲法二六条の「教育を受ける権利」を、生存権的基本権の文化

的側面として捉え、進んで子どもの「学習する権利」を生来的権利と認め、これを保障することは「国民的課題である」と述べています。すなわち、〝子どもの学習権を充足し、その人間性を開発し、次の世代に文化を継承することによって、民主的・平和的な国家および世界を担うことに教育の本質的な課題があり、親をはじめとする国民がこの教育の責務を負うと考えられる。ただ今日では、すべての親が理想的に子どもを教育することは不可能であるから、公教育としての学校教育が必然的に要請される。〟杉本判決はこういう筋道を追って、公教育における国家の責任は結局、上述のような「国民の教育責務の遂行を助成する」点にあることを明らかにしました。

このような観点からすれば、国家の権能は「教育内容に対する介入を必然的に要請するものではなく、教育を育成するための諸条件を整備することである」と規定されます。つまり、国のおこなう教育行政は、教育の「外的事項」にとどまるべきであり、「内的事項」に立ち入るべきではない、という重要な境界づけが、教育権を「子どもの権利」から再構成することによっておこなわれたわけです。しかも、国の教育行政のこうした制約は、教育が教育として成り立つために不可欠な自由の原理によって、いっそう明確に裏うちされます。国家教育権の不当な主張は、次の点でより根本的な批判を受けざるをえないことになりましょう。

人格的信託と教育の自由

そこで、第三の論点は、教育の本質に根ざす内的自由の要請に関係します。教育が発達の可能態としての子ども・青年たちの人格・能力の全面的な開花をめざす以上、政治権力によって勝手に左右されては、とてもその目的を達成することはできません。とりわけ、価値の多様性を認め個人の内面には立ち入らないことを原則とした民主国家においては、教育行政による人格形成への国家の介入は、たいへんな自己矛盾に陥ります。杉本判決が、教育の内的事項は「政党政治を背景とした多数決によって決せられることに本来的にしたしまず、教師が児童、生徒との人間的なふれあいを通じて」実現していくべきものだと述べたのは、教育の本質に即した正しい指摘だといわざるをえません。ここからして、本源的な教育権者である国民から、生徒たちをあずかって教育の仕事を担当する教師に対して一定の信託がなされ、教師はこれを受けて「児童、生徒の学習する権利を十分に育成する職責をになう」、という関係が成立します。

この国民から教師への信託は、選挙を通じての「代表者」への政治の信託より以上に具体的であり、子どもの人権を中心としているだけに、はるかに人格的な意味をもっております。その信託に応えるためには、一方で教師に非常な努力と、重大な責務への自覚が求められるとともに、他方で教育の自由が確保されなければなりません。教師は、児童の発達段階に応じてもっとも適切な教育を授けるために、子どもたちの個性や身心の状態に眼をくばりながら、教科の内容や方法を自ら専門的に研究していく必要があります。憲法二三条は「学問の自由」を保証していますが、それは決して大学教授だけの専有物ではないはずです。教育が学問研究の成果をふまえてなされるべきであり、また教師がつねに研究を職務の一部として必要とするかぎり、すべての教師がその権利を有するといえましょう。

また教育活動じたい、学問研究とともに、権力の統制になじまない性格のものであることは、先にも述べたとおりです。そもそも、子どもたちの自由な個性と創造力を育てていく教育という仕事が、自由も創造性もない教師によって十分に果たせるわけがありません。教育基本法一〇条が、「教育は、不当な支配に服することなく、国民全体に対し直接に責任を負って行われるべきものである」と述べているのは、右のような教育自由の原理と信託の意味を条文化したものといえましょう。

以上を総括していえば、「国家の教育権」の名で文部行政が教育の内容まで干渉し統制することは、教育じたいの本質に鑑みても、憲法・教育基本法の精神に照らしても、認められないといわざるをえません。真に創造性のある未来の文化の担い手を育てるにも、各人の個性を豊かに伸ばしていくためにも、学習権を基軸にした「国民の教育権」の原理を実現していくことこそ、現代教育の進むべき正しい進路でありましょう。この観点から、日本の未来にさし向ける教育改革の方針を根本から錬り直すよう、国民の一人として願わずにはいられません。

4　教育と行政と政治

コンセンサスの成り立つ範囲の確認

いままで私は、教育の在り方の原点に立ちもどって、そこから政府および中教審の教育改革案に対し、根本的なアンチテーゼを立ててきました。しかし、私をも含めて杉本判決に盛られた教育観に立つ人びとと、文部省＝中教審との間が、話の通路のまったくないほど断絶しているとは思えません。中教審答申のなかでも、①改革には長期の見通しと綜合的な計画性が必要なこと、②自主的・創造的人間の育成をめざすこと、③教育関係者の積極的な努力が期待されること、④教育の内容・方法の画一を避け、発達段階に応じた工夫が必要なこと、⑤教師が自信と誇りをもって活動できるよう、待遇などの改善をはかるべきだということ、⑥高等教育機関に自主的・自律的に運営できる体制を確立すべきこと、⑦私立大学の財政援助などを含めて、全高等教育の充実を計るべきこと、など――アト・ランダムにひろっても、大多数の国民が賛同できそうな文言が散見しています。以上のほか、たとえば身心障害児などの特殊教育を積極的に拡充整備していこうとする方針などに異論のあるはずがないことは、初めにも述べたとおりです。

上記のような文言だけをとりだせば、たぶん日教組の人びとでも、たいていは賛成しそうに思われます。そういう〝共通点〟は、確認しておいて然るべきでしょう。問題は、だから、どこで喰い違いが生ずるか、です。そこで確かめてみると、右のような抽象的には至極結構な言葉が、どこかでまったく行方不明になったり、あるいはその文言とはおよそ相容れない条件と組み合わされたり、あるいはまた当初の趣旨とはまるで正反対な結論に終わったりすることが、何と多いことかと驚かされるしだいです。いったいどうしてそうなったのでしょうか。前にみてきたような教育に対する発想の原点がおよそ違うからだ、といえばそれまでのことですが、そういう思想の違いのほかに、何かがあるように思われます。

それはまず、同じ目的の実現のために、とるべき手段や政策が異なったとき、どちらの方が真に、またはヨリ目的に適っているか、という手段の合目的性の比較の手法を用いて、問いただしていく必要があります。ここでは、精密にすべての問題点を洗っていく余裕がありませんので、上記の諸例について簡潔に、答申の選択した政策が目的または前提に適合的かどうかを考えてみましょう。

「改革案」の具体的な点検

まず、①の前提する長期の見通しや計画について、答申案は急激なテンポで変動している社会によく適合していく政策を準備したかといえば、第1節でも述べたとおり、合格点はとてもつけられないでありましょう。たとえば、A・トフラーの『未来の衝撃』が示すように、後期産業社会における過剰な情報や生活環境の変化が招来する状況は、今のままでいくと肉体的にも心理的にも大量な不適応を生じて、共同体そのものの崩壊にもつながると思われます。こうした加速度的な変化に対する最良適応の条件を考えずに、産業界の要望する能力主義的再編成を提示するのは、「第三の教育改革」のスローガンに対してさえもそぐわないでありましょう。

②の教育目的については、答申された改革諸案の大方は、不適合というよりも反目的的でさえあります。教科書統制や学テをはじめ、今までおこなってきた文部行政も、答申によっていっそう強化される能力主義の選別も、自主的・創造的人間を窒息させるための方策としか思われません。テスト中心のつめ込み強制が、どんなに児童の自主性や創造力を損ってきたかは、すでにくりかえし述べてきたとおりです。

③も教育改革に当然の前提となりますが、勤評などで手ひどく締めつけてきたうえに、さらに学校内にきびしい職制を布いたり、いわゆる五段階給与制をとろうとする「改革案」に対して、教育に打ちこむ真摯な教師たちの賛同が得られると考えたのでしょうか。そうだとしたら、現場の多くの教師たちの要望や願いについて、あまりにも無知で無神経な見方だといわねばなりますまい。中教審に、教師代表の委員が一人もいなかったせいだとしても、その一面的な考え方は何ともひどいものだとい

うほかありません。

④も同様です。教育の画一化を避けるためには、まずもって教科書統制の全廃が必要であり、教師の自由や自主研修権を大幅に認めることが、第一の政策でありましょう。学習指導要領でがんじがらめにしばり、教科書をつまらない画一的なステロ版にした元兇は、ほかならぬ検定制度だったではありませんか。教科書の検定のみならず、その採択の自由を制約し、画一化をいっそうつよめている政策に対し、中教審は盲目的な肯定を与えているように思われます。また児童の発達段階に応じた教課や方法は、教育学者・心理学者と現場教師らの協力で改善するのが本筋であり、行政官僚がこれに介入するのは混乱を招くもとになるでしょう。

⑤の教師の待遇改善は、まったく当然至極のことで、「改革」以前の常識的な要請です。聖職者などという名を押しつけて、教育者に何ともひどい冷遇しか与えなかった政府の人びとは、エーリヒ・ケストナーの『動物会議』でも読んで慚愧（ざんき）すべきだと、私は常々思っていました。ケストナーはこの物語のなかで、「子どもをいい人間に育てることは、一番だいじな、むずかしい仕事であるから、これからさき、教育者が一番たかい給料をとるようにする」という条約を、世界の政治家たちに取り結ばせています。政治家や行政官が現場の教師たちを見下して威張りくさっているといった光景は、彼の物語の動物たちがもっとも憎み蔑んでいたものですが、この答申はいっこうにそんな矛盾を感じないどころか、矛盾の拡大再生産を計っているように見えます。給与改善というアメとともに、職制その他のムチをとり合わせたあたり、『動物会議』以前の発想が歴然としているではありませんか。

「高等教育」に関する問題など

答申は「高等教育の改革」について、「学問研究の自由」の保障を謳い、⑥のように大学の自治を守るポーズを示しています。しかし同時に、それにもまして大学などの「効率的な管理機能」の確立を強調して、国家社会に対する責任などの名目で、「管理運営体制の合理化」を求めています。

この考え方は、ずっと前の「大管法案」以来のことで珍しくはありませんが、諸大学が等しく反対してきたように、そういう方式が大学の当面する問題の解決になるよりも、学問の自由の原理に反する巨大なマイナスを生ずることは、明らかだと思います。勤評による小中学校の教師たちの拘束ほどではないにしても、少なくも学長中心の執行機関の強化や学外者の機関参加などの方法が、学問研究の自由と自治の原則を後退させることは必至でありましょう。そうだとすると、⑥の文言などは、全くお飾りのリップ・サービスにすぎないといわざるをえなくなります。

私立学校の財政援助に関する⑦の約束も万人の歓迎するところですが、「責任体制」を明らかにするために〝金を出す以上、口を出すのは当然〟というのが、答申の原則であり、政府の姿勢でもあります。たしかに、幼稚園でも大学でも、国費で私学の助成がなされるからには、その使途に対する財政監督はむろん不可欠ですが、ここでも教育の自由・学問の自由への不介入の原則が確認されるべきでありましょう。

以上のほか指摘しておきたい点はまだたくさんありますが、誰もが賛同できそうな良き目的や良き定言が、それに反する条件や政策に結びつけられる例は、これだけでも十分だと思います。そこで、いったいどうしてこういうことになるのか、という先の問題に立ち帰ってみましょう。

根底にある権威主義的考え方

前に述べたとおり、政府や中教審の根本の発想――つまり「国民の教育権」を否定して「国家の教育権」を主張する立場――が政策を方向づけたということは、否定できないように思われます。そしてこの国民の上位に国＝政府をおく考え方は、答申の全体を貫く政府主導の建前に反映しているだけでなく、文部行政の担当者の言動の端々にもうかがえます。たとえば、日教組に対する強引な抑圧的態度とか、あるいは大学等の財政についても〝金を出してやる〟といった優越者の姿勢など、拾っていけばキリがありません。

一般に、権威主義というものは、強者に対してはひどく低姿勢であり、弱者に対しては不必要に高姿勢になる性格をもつものですが、私は、そういう権威主義が文部行政を毒さないように祈らずにはいられません。というのも、もしも行政(官僚)が権威主義に陥るようになれば、一方で政治権力を握る勢力に対する色目や追従の結果として、教育行政のなかに支配勢力のイデオロギーや要求をとり入れることになり、教育をその本質や原点から考える能力が奪い去られるからです。

他方でまたそれは、権力をもたない教師やその集団に対し、時には威丈高な姿勢で鉄槌を下し、時にはその弱みを逆手にとった陰険ないじめ方をする、といった行政の堕落を生ずるでありましょう。一般論として、わが国では、議院内閣制やわが国独特の政党制のために、行政の政治的中立性を守ることが容易でないだけに、右のような傾向に対する厳しい戒意がとくに必要になるわけです。

不幸なことに、わが国の教育は、政治的イデオロギーの対立の渦中におかれ、現実に文部行政は保守的な支配勢力によっていちじるしい方向づけを受け、一九五〇年代から教育統制をつよめてきております。ここにそうした政治→行政→教育への介入の動態を画く余裕がないのは残念ですが、この政治的過程が「教育の政治的中立」の要求というパラドキシカルな旗印の下に進められてきたことは、別の機会に私も何度か指摘してきたとおりです。教育が教育本来の原理から出発して、真に次代を担う青少年や児童のために計画されるという十分条件は、政治支配の下ではやはり困難ではないか。——正直のところ、私などはそういう嘆息めいた疑問にとりつかれがちになります。

にもかかわらず、長期の広大な視野をもてば、つまるところ前述した教育の原点に立ちかえって計画をたてる以外にないということを、行政(官)に対しても、政治(家)に対しても、重ねて強調しないではいられません。そうでなかったならば、答申のいうところの「時代の挑戦」に正しく答えることは不可能だからです。国民の正しい教育要求を汲みあげ、その積極的な協力を得てプランニングそのものを検討していくのでなければ、「未来の衝撃」に耐えうる教育体系を作ることは望みえないだろうからです。

5　む　す　び

教育改革へも国民の参加を

坂田文部大臣殿　　いろいろと勝手なことを申しあげ、さぞかし不快なこともあったかと思いますが、日本の教育のためにはこういう「反時代的」批判に耳を傾けられることも無駄ではないと存じます。むすびにあたってもう一言、前節の末尾に述べた点とも関連して、教育改革の方法論にふれて、少しく具体的な提案を申し上げたいと思います。

それは、今回の中教審答申の実現を急ごうとされずに、是非とも国民的討議に付し、徹底的な検討をおこなってほしい、ということであります。その理由の第一は、明治初年と第二次大戦後につづく「第三の教育改革」には、時代の要請として国民の参加が必要だからです。前述のとおり、国民の積極的な同意を基盤としない大改革は、仮に権力をもって強要しても、破綻をまぬかれないでしょう。また、広汎な国民各層の討議を経てはじめて、襲いくるさまざまな「未来」のショックに耐えうる計画が可能となるでありましょう。国民ぬきに「国家の教育権」のダンビラを振りかざすようでは、要するに明治国家的な教育管理体制を少しくモダーンな形で再現するにおわるだけで、大量に疎外された青少年たちの多種多様な「反逆」をまき起こすことは目にみえております。

おそらくそういうことは承知されてのことでしょうか、答申もくりかえして「国民の支持」を要望しています。しかし、国民に向けて呼びかけ、その意見を求め、それによって必要とあれば計画の手直しもしようという姿勢もなしに、「国民的な支持の盛り上がること」を期待するのは、何とも虫がよいことだというほかありません。

ちなみに、森戸さんは、〝公聴会を通じて国民諸層の声はよく聞いた〟といわれ、〝国民の大多数はこれを支持するとおもう〟ともおっしゃっておりましたが、これはずいぶんと乱暴な話であります。公聴会をもったことが民意を聞いた証拠だというなら、どんな独裁国家でも容易に〝民主的〟になりうるでしょう。わが国の国会の公聴会などが、民意吸収にほとんど役立たないお飾りにとどまっていることは、定評のあるところです。現に中教審の公聴会に出た人が、自分の意見は片鱗もとり入れられなかったと語っていたのを、私は聞いております。私の提唱するのは、このような形式的なヒアリング程度のことではなく、はるかに実質的な国民討議をまき起こし、そのために必要な情報を提供して、関心ある人びとに研究し、討議し、意見を出してもらうような組織と手続をとることであります。

文部省と日教組との対話も

もう一つの提案は、従来まで主として文部省側のかたくなな態度によって実現されなかった、日教組との対話に、文部省が広い門戸を開くことです。このことは、すでに多くの識者によって唱えられてきておりますので、多言を要しませんが、五十余万の教員を組織した日教組が、政府との対立や闘争によって多くの犠牲を払っていることは、当の教組にとってだけでなく、国民にとっても、また教育行政にとっても、非常に不幸なことといわねばなりません。先頃のテレビ討論の折にも、文相ははしなくも〃教育混乱の主原因は日教組の政治活動にある〃と述べられました。それが不用意な発言であったとしても、はなはだ穏当を欠く一方的な言葉であったし、またそれだけに政府＝文部省の日教組敵視の態度を示したものとみられます。

中教審の委員のなかに、日教組の利益代表が一名も入れられなかったという事実も、そうした事態の反映といえるでしょうか。中教審の構成がどうやって決められたか、非公開なので分かりませんが、少なくもこのようなやり方は審議会を偏頗（へんぱ）なものとし、ひいては答申の内容を偏向化した原因になったと推定する向きもあります。仮に、実際はそうではなくても、日教組をボイコットした結果、答申には一方の文部省的政策だけしか盛られていないという批判を免れないとすれば、それは中教審にとっても、公正さを立証しかねる不幸な事態だったはずです。

このような手近な経験があるだけにいっそう、これからの長期の教育計画のために、――たとえ政府＝文部省が「国民の教育権」の思想を受け容れないとしても――みずから思想的閉鎖性を実証するような閉じた態度を改めて、オープンに話しあうことが望まれるしだいです。私も、今までの教育界の混乱について、日教組にもまったく責任がなかったとはいいませんが、少なくも強大な行政権力をもつ文部省には何層倍もの反省が求められると思います。しばしばふれた教科書の統制、勤評・学テなどの強行が、日本の教育に何をもたらしたか、精密かつ実証的に計量してみれば、たんなる水掛論でなく、文部省として厳しい反省を要する結論に到達するのではないでしょうか。

文部省の本務精励に期待する

おわりに、蛇足をもう一つ加えます。それは、文部省に教育行政の本務に大いに精を出して奮闘してもらいたいということです。教育・研究の設備や環境づくりだけとってみても、文部省のなすべき大切な仕事はじつにたくさんあるはずです。子どもたちの幸福のために配慮すべき事柄が、教育の「外的事項」だといわれて、軽くみられるように考えるのは、とんでもないことです。教師の給与を良くし、その雑務などの負担をとり除いたりすることも、その養成に力を入れて一人当りの受けもち生徒数を今の半分ほどにする、といった当然の手当も、早急になされるべきでありましょう。

こうしてみれば、前にあげた政府の仕事のなかにも、行政上当然のものがかなり含まれていますし、大方の国民もそれらを本気で実行してほしいと要望しておりましょう。行政官が、ほんらい教育者の自由と主体性にまかせるべき教科内容や教科書などについて不必要な干渉をしてきたエネルギーを、その本来の仕事に傾けてほしいものです。そのような本務を怠って、なすべからざる教育統制に力こぶを入れている状態では、今までは一部の声にとどまっている「文部省廃止論」（たとえば羽仁五郎『教育の論理』など）が、いつかは澎湃(ほうはい)とした世論になる日が来るかもしれません。

もし文部省が、現状を改めて、右のような民主教育の条件づくりに精励し、子どもや教師のために力をつくすようになるならば、私どもも双手をあげて支持と声援を惜しまないでしょう。それどころか、ケストナーの言い方にならって、〝これからは、教育行政という一番大切な仕事を受けもつ文部省は、国の諸官庁の最上位にすえ、予算の配分も最優先にする〟と宣言したいところです。もしも文化国家という虚名が現実に生きかえる事態になれば、きっとそうなるに違いありません。右からも左からも人間尊重の呼び声が高く聞える近頃ですが、真にそれにふさわしい教育優先の国家にしてゆく「先導試行」を、文部省が率先しておこなってほしいものであります。

II　教育改革の方向と方法

〔まえおき〕　先にも述べたとおり、このIIは坂田氏への再批判と提言をおこなったものである。Iと同じように、当時『世界』誌上にのせられた序文の主な部分を掲げて、導入部とする。

『世界』（一九七一年）八月号の「公開状」に対する御回答（同九月号）を拝読いたしました。現職の大臣の座を離れたあととはいえ、今日の文教政策にもっとも深い関わりと造詣をもっておられる坂田さんから、さっそく御意見をうかがえたのは、幸いでした。とくに今の日本では、奥行きの深い教育問題について、みずから筆をとって論議できる政治家は、指を屈するほど少ないという実情を考えれば、さすがに坂田さんだと感服させられました。おそらく私だけではなく、中教審答申に対して私と同じような疑問や批判を抱いていた人びとは、熱心にあの御返事を読んだことと思います。……

しかし、御返事の内容そのものということになりますと、残念ながら、私が心中期待していた実質的な論議はほとんどなく、要するに私の批判の肝腎な点がみんな「虚像」にすぎないというにとどまっております。私は私なりに原理的な問題点を整理して、できるだけ詳細に内容にわたる批判を試みたつもりです。にもかかわらず、それらの重要な根本問題がいとも簡単に「虚像から生ずるまちがい」だと片づけられているのには、真実がっかりいたしました。

だいいち御返事の冒頭から、私の提起した問題に対するひどくピントはずれな反論が書かれているのには、驚かされました。私が中教審の歴史的な状況認識の深さや広さを疑問としたのに対して、「人類の危機を列挙するだけでは教育政策として何の成果も生まれません。云々」とおっしゃるところなど、その良い見本です。……このように、至るところで私の真意が理解されず、時にはひどく誤解されているのをみて、「なんともわびしい気持ち」になったのは、私の方だと申さなければなりません。同時にまた、坂田さんにしてこの調子だとすれば、教育問題の理解に乏しい政府・与党の人びとに問題の在り場所を分かってもらえる可能性はあるのだろうか――などと考えると、これからの途の多難さをあらためて思い知らされた次第です。

それはともかくとして、私はもう一度だけ中教審と前文部大臣の坂田さんの考え方に対して、批判と提言を試みたいと思います。ただし、坂田さんの書かれた「虚像への批判」の言葉尻をとらえたような、逐一の批判はやめにして、もう少し前向きに、教育改革に関する国民的な論議を展開できる方向で、この拙文を書いてみます。……ここでは、(1)ごく核心的な問題だけを取り出して、若干の補足を加えながら概括的な再批判をするにとどめます。これについで、(2)中教審の改革案に対し、どういう積極的な構想が可能かを、柱になる問題を選んで、私なりの視点から考えてみることにします。坂田さんは、受験体制の解決のための提案を示したらどうか、といわれましたが、ついでのことにもう少し風呂敷をひろげて、改革の基本方針と多少の具体案を試みておくことにします。(3)前回は不十分にしか述べえなかった教育改革の方法論について、もう少し具体的な提案をつけ加えることにします。坂田さんは、この点にはまったくふれておりませんが、これは国民にも文部省にも、改革の大前提として考えてもらいたい重要な問題ですから。

1　核心問題の総復習

最初にまず、坂田さんの反論の重点ともなっている三つの根本問題に、補足と検討を加えておきましょう。三つの問題とは、「国家主義」と「能力主義」と「教育権」です。このほか付随的な問題はいくらもありますが、それらの大部分は、右のどれかに関連して述べることができると思います。

中教審答申の「国家主義」的傾向

「国家主義」とは、どういう意味か、それは中教審答申のどの叙述に基づくのか、——と坂田さんは反問しました。中教審の考え方の国家主義的な傾向というとき、私は二つのものを包括して考えています。一つは、教育の理念または目標に関して、「国家」の価値にウェイトを置く考え方であり、もう一つは、教育改革の主体を「国民」ではなく「国」もしくは「政府」とするやり方です。

この双方において、中教審の発想が国家主義的であることは、疑いを容れません。①後者すなわち改革主体の問題からいえば、中教審が、国民をも教師をもさしおいて、ことごとに「政府」の任務や責任を強調していることは、前回にも多数の例をあげて示したとおりです。国家主義の改革案だという多くの新聞の批判は、この点ではまったく当たっているといわねばなりません。

また、②教育理念についてみれば、先に中教審が「後期中等教育の拡充整備」の案を報告した折（一九六六年）にあわせて提出された「期待される人間像」が、好例を示しています。当時すでに諸方面から指摘されたとおり、この「人間像」は、教育基本法のそれにあたかも対置するかのように、「日本人としての自覚」や「日本の歴史および日本人の国民性」を強調し、国民として「日本人にとくに期待されるもの」は「正しい愛国心をもつこと」、「象徴（天皇）に敬愛の念をもつこと」、「すぐれた国民性を伸ばすこと」だとしています。今度の答申でも、「国家・伝統・規範」という側面に力点を置いており、これを先の「人間像」との脈絡でみれば、そこにはまぎれもなく古い国家主義への傾向がうかがわれます。

坂田さんはこれについて、個人や自由という一方の極だけが強調され、国家という他の極が忘れられがちだったといい、この後者をはっきりさせることが「今後の教育に必要」だと述べております。この考え方は、「祖国愛」を強調した池田内閣の頃から政府与党の大方の頭にあったもので、戦後民主主義の「行過ぎ」を「是正」すべきだという、あの復古的な改憲論とも発想の基盤を同じくしているものといえましょう。

客観的にみれば、「明治百年」的な物の見方と同様、こうした〝行過ぎ是正論〟が多数党を制しているという現象じたい、まさに日本の民主主義の不徹底さの証拠にほかなりません。だいたいわが国の現実政治の面で、個人・自由の理念だけが支配して、「国家・伝統・規範という側面が捨象されたことが、一度でもあったでしょうか。戦争直後のアメリカ軍による占領下の一時期を除けば、日本の保守政党や官僚の支配の下で、「国家」は「捨象」されるどころか、受身の「個人・自由」に対してつねに圧倒的な優位にあった、という現実を捨象しては困ります。

何よりも教育の分野で、「国家」は——「忘れられがち」であるどころか——教師や児童のうえに巨大な圧力でおおいかぶさり、長年にわたって教育の統制をおこなってきたではありませんか。教育二法の強行といい、勤評や学テの強制といい、法廷に訴えられた教科書の検定といい、現実に「個人・自由」の価値を否応なしに「捨象」してきた過程が、ここ二十数年も続いてきております。この社会的文脈のなかで、強いがうえにも強い「国家」を強調することの、リアルな意味が問われなければなりません。私はその問題性を、①とあわせて「国家主義」の傾向として指摘したわけです。

ふたたび「能力主義」的選別の禍害について

「能力主義」は、〃意味不明〃だと坂田さんはおっしゃる。中教審が知育偏重だとみるのは「誤解以外の何物でもない」とも述べられています。能力主義という言葉は、ごく平明なことで、すでに日本名物の「受験戦争」のなかにみられるような、小手先の知識に偏した「能力」別の振り分けをおこなうやり方です。坂田さんはその弊害をよく知り、それに反対する点では私と「同意見」だといいながら、その反面で、中教審も文部省も能力主義とは無縁だと弁護しております。むかしの流行歌ではありませんが、〃本当にそうなら嬉しい〃ことです。

しかし、中教審案における中等教育段階からの「能力別の教育」やコースの「多様化」は、——個人の特性に応じた教育という一見はなはだ教育的な配慮の形をとりながら——実質的には今の「能力主義」的選別を強化する結果を避けえないと思います。それが、表向きの美しい謳い文句とは裏腹に、少年期から不当な差別をおこなうことによって、大量の疎外を生みだすことは、現状からも十分に推定できることです。もしもこの推定が根拠のない想像だといわれるならば、一例としていわゆる三七体制(普通科コースを三、職業科コースを七の割合として産業界の要望に答えようとした〃先導試行〃)を実験してきた富山県の実例を御覧になればよろしいでしょう。

この富山の現実がどんなにひどいかは、たとえば北日本新聞の地方自治取材班が編集した『よみがえれ地方自治』(一九七〇年、第二部)をみれば、よく分かるはずです。ここでは一々の事例はあげませんが、まだ未来の進路をきめるのには早すぎる中学の段階から、テストの成績だけで強引に振り分けて、当の本人も父母も望まない職業科に無理ヤリに押しこんでいく「進学指導」の方式は、教育を恐ろしく歪めています。大学への進学を拒まれた子どもたちや父母の不満もさることながら、○×テストの繰りかえしからくる生徒の思考力や自主制の減退、友達を敵視して押しのけなければ競争に勝てない制度の下での人間形成の歪みなど、ちょっと考えただけでもゾッとするような現実は、「能力主義」と「多様化」のもたらす禍害を如実に示しているではありませんか。

テストによる選別が、生徒たちの学習意欲を奪うだけでなく、〝できる子〟と〝できない子〟に不当な差別を押しつける結果に導くことは、こうした実験でも明らかになっているはずです。富山県の制度も、中教審がいう「本人の能力・適性に応じたものを選択させるよう綿密な指導をおこなう」趣旨だと説明されてきたようですが、言葉だけのきれいい事でこんなにも教育がスポイルされている事例を見過すことはできません。

富山県にかぎらず、受験地獄におおわれている日本の至るところに、似たような先例はいくらも見られるというのに、中教審はどうしてまた「第三の改革」として、こういう「能力主義」の選別や「多様化」を推進しようとするのでしょうか。なるほど表向きは、個性の尊重とか、「個人の特性」に基づく「適切なコース」の選択の「指導」といった、一見もっともらしい理由がつけられていますが、そうした選別方式から生ずる恐ろしいほどの害悪が眼に映らないのでしょうか。

坂田さんは、産業界にも文部省にも、知育偏重の能力主義の考え方など今ではまったくない、と考えておられるようですが、中教審の「初等・中等教育改革の基本構想」は、まさに上記のような選別方式を骨幹としているではありませんか。日本の教育の現実に現われている荒廃を救うためにその原因を除去することこそが、教育改革の第一に着手すべきポイントであるはずなのに、それを拡大再生産する方向に駆り立てていく政策には、どうしても賛成するわけには参りません。

先にも述べたとおり、私のこの批判は、何らかの「固定観念」からではなく、日本の教育のリアルな問題状況から出発しています。坂田さんがこれを「虚像」にすぎないとみるならば、失礼ながらそれこそ、現実そのものを虚像とする錯覚もしくは虚妄から出た結果ではないでしょうか。

「教育権」をめぐる問題点

「教育権」という概念について、坂田さんは興味ぶかい見解を示してくれました。私に向けての反問という形で、教育権とは、①「教育を受ける権利」、②「教育に関する行政上の権限」、③「人を教育する権利」のどれなのかと問いながら、同時にご自分では、③の権利は「国にも教師にもありようがない」と断定しておられます。坂田さんによれば、「教育を受ける権利」をもつ者は、「ひとりひとりのかけがえのない人間であり、人格的な主体です」。この見方には私も賛成です。そうであればこそ、この「かけがえのない人間」の大量をダメにしてしまう能力主義的選別に反対しているわけです。ところが坂田さんは、この人間を「自分の思うように教育する不遜な権利などはどこにもあってはならない」としながら、親でさえそれを許されないから「子どもを公教育に託することを義務づけられ」るのだ、と考えておられるようです。

この辺の叙述がはっきりしないので、坂田さんの教育権の規定も曖昧ですが、③を否定していきなり公教育への委託をもち出すところに、大きな混乱があり、またおそらくは意識されない論理のスリカエがあるように思われます。なぜなら、問題をそのようにして公教育に移したうえで、教育のいわゆる内的事項についても「公的な規制」が必要であるとし、同時にまた②の教育に関する行政権が「政府その他の行政機関にあることは明白」だとしているからです。

これでは、国にも「人を教育する権利」はないといったん否定しておきながら、行政権による「公的な規制」を通じて、国が教育の内部まで統制できるということになります。これはひどく矛盾した結論ですが、要するにその本筋だけを抜き出してみれば、国の教育行政権を自明のもののように主張することによって、政府が教育を左右できる論理を無理に立てようとした結果にほかならないと思われます。私が、「国家教育権の不当な主張」を批判したのは、こうした根拠不明な教育統制のロジックに納得がいかなかったからです。

そういえば、〝批判ばかりして、教育権に関するお前の積極的な概念規定はないではないか〟と申されるかもしれません。しかし、定義こそしませんでしたが、教育権についての私の考え方は、前の「公開状」でも明らかにされていたはずです。要約的にいえばそれは、「教育を受ける権利」を、国民（とくに児童や青少年）の学ぶ権利（学習権）として積極的に捉えたうえで、この学習権の充足と実現をめざすものとして、父母たる国民――およびその委託を受けた教師たち――が持つ「教育する責務と権利」を包括的に呼んだものです。学問的にはもう少し精密な定義や内容規定が必要でしょうが、差しあたりこれで実用的に十分だと思います。

ここで注意していただきたいのは、教育権といっても、「人を教育する権利」という面にとどまるものではなくて、真理をめざす学習の権利にみあうところの、責任と義務を内実として含んでいるということです。それは、人を「自分の思うように教育する不遜な権利」ではなく、教育のむずかしさや恐ろしさに対する謙虚な反省を教える者に求め、学習者の全人的な可能性の開花に努めるべき責務を課するものです。

人間の人格に関するこの責務の特殊性のゆえにこそ、教育権は政治や行政権力の支配になじまない性質をもつと考えられます。いわゆる教育の内的事項が、みぎのような教育権の主体たる国民と教師に委ねらるべく、そこに「国家教育権」の主張に基づく権力の介入が許されてはならないというのは、教育の本質に由来するというべきでありましょう。

上述の意味での教育権が、少なくとも民主主義の社会では国民およびその委託をうけた教師に属するという原理は、もちろん、教育に関する国（政府）の行政上の権限を否認するものではありません。前論でもはっきり述べておいたとおり、公教育の目的を達成するために必要な外的諸条件の整備について、行政権が果たすべき仕事と役割は大きなものがあります。学校の諸施設や教師の待遇の改善、研究の財政的補助など、文部省に是非やってほしいと望まれる仕事は、山ほどもあるはずです。そういう本務をロクに果たしもしないで、本来なすべからざる教育内容の統制に熱をいれることは、方向違いもはなはだしいのではないかというのが、かねてから私が批判してきた点です。

これに対して坂田さんは、教育の外的と内的の事項の区別はどこまで可能か、と反問しておられます。私もその境界線が不分明の領域があることは認めます。また、外的事項だから行政権の思いのままやってよいとはいえないし、逆に内的事項だからすべて教師まかせにすべきだともいいません。ただ全体として、広義の教育の作業分担を教育ほんらいの目的に照らして合目的的に分けることは、可能でもあり必要でもあると思います。ですから、内的と外的との完全な区分が不可能だという理由から、坂田さんのような仕方で、「公的な規制」が必要だという結論を引き出すことは、論理のひどい飛躍というほかありません。

文部省および中教審は、やはり教育の本質的な原理に立ちもどって、杉本判決の指示した「国民の教育権」に基づく教育改革の再検討にとりかかって欲しいものであります。ここでは、佐藤内閣の下でしばしば語られながら一度も実現されなかったところの「発想の転換」の実行が望まれます。旧来の視点を思い切って変えるということは、むずかしい注文かもしれませんが、「第三の改革」には、それが基本的に求められているのではないでしょうか。

2　改革の基本方向

教育改革の核心に何を置くべきか

さて、中教審答申を批判するだけでは能がありませんし、何よりも国民的論議を展開するためには、批判者の側からも積極的な意見を提示することが必要となるでしょう。ここで私なりの視点から、現代の教育改革に関する多少とも具体的な考え方を示して、ひとつの参考に供したいと思います。ただし、具体的な改革案といっても、長期と短期の時間軸のとり方によって、大きく異なってきますし、また中教審の諸案に対して立てうる「対案」にもさまざまな可能態が考えられます。ここではそうした可能な「対案」を列挙していくような作業はとてもできませんし、その必要もないでしょう。

それにまた私は、教育改革は国民の教育要求を正しく吸いあげ、あとでも述べるとおり、多段階の対話をつみ重ねて具体案を決めていくべきだと考えておりますから、固型化した対案を提出するよりも、むしろ——中程度のレィンジで構想しうる案を念頭において——その方向と枠組を明らかにする作業に限定したいと思います。

第一の基本線として、教育改革の中心に学習権の主体である児童・青年を置いて考えることが要請されます。——〝教育は誰のためのものか〟という問に対して、父母たる国民や教師たちの大部分はおそらく、何よりも学習する子どもたちのため、という答をちゅうちょなくするでしょう。もし文部省が、この前提的な要請を否定しないとしたならば、つづいて生徒や学生たちに、学び甲斐のある明るい学校を用意することにも賛同するはずであります。そういう教場で、各個性の可能性をのびのびと育てていける条件を作り出すことに、教育改革の第一の眼目があるといっても、私の独断ではありますまい。

この点で一致が得られたら、今までのような知能偏重のテストによる選別方式を改めて、個性も創造力も磨滅するテスト用のつめ込み教育を根本的に変えることが、最初の具体案として挙げられます。このために、いささかドラスティックに聞こえるかも知れませんが、私は大学をも含むいっさいの入学試験の廃止を提唱したいのです。受験地獄とそこから生ずる凄まじい教育の歪曲や荒廃を治療するのには、抜本的な対策が必要だと考えるからです。

入試の廃止といっても、それにかわるどんな良策があるか、と誰でも問いかえすことでしょう。このためには前提条件のひとつとして、高校までの教育を権利として保障する制度（いわゆる高校全入）が望ましいのですが、以前からすでに大都市などでは九〇％を超える進学率になっている現状からすれば、その実現性はかなり手近いといえるでしょう。

問題はそれから先の大学ですが、私は、統一的な高校卒業資格の認定方式を確立して、その認定を受けた者に大学入学資格を与えるという、ヨーロッパ諸国にみられる方式を採用し、これに若干の手直しを加え、大量志望者の殺到する大学ではクジ引きの方法などによる選抜を考えればよいと思っています。それと並行して、大学もまた、ユネスコの勧告にもあったように、「入りがたく、出やすい」制度から、「入りやすく、出にくい」型に変えていく必要があるでしょう。こうした案は、中教審の能力主義的な方法とは相容れないうえ、旧来の通念からみて実現には非常な困難がありますが、一つの考え方として文部省にも国民の方々にも検討していただきたいものです。

教師の自律化と教科書の自由

第二の基本線として、良い教師を教場に送ることと、彼らの創意にみちた自由な教育活動を保障することが望まれます。児童や学生の個性と創造能力を伸張させようとするならば、何よりも熱意と愛情をもって彼らに接する教師が必要ですが、同時に教師じたいが自由で創造的であることも、よき教育の不可欠な要件でありましょう。教師たちがその自由をがんじがらめにされ、創意工夫をこらすことがまるでできないような状態のなかで、自由な個性や創造力を育てる教育ができるわけがありません。それに、教育は一般に真理と真実を教えねばならないという原理に立つ以上、教師じたいが不断に真理を追求する情熱をもち、また教育のための研究をつづけることを要請されています。このためにも研究の自由と時間を教師に保障するシステムが、改革のひとつの大きなメドとなるでしょう。

もう少し具体的にいえば、教員養成の機関も、その自主的な研修の制度も、教師たるべきものが「やりがい」を感ずるような自由と創造性を与えるものでなければならないはずです。さらにまた、教師たちの積極的な教育活動を可能にするためには、①彼らに今日課せられているような過重な負担から解放し、②不当に軽い給与水準を高めるとともに、③学校管理などの名によるさまざまな桎梏をとり除くことが、当面の具体策になります。

こうしたプランは、現行の勤評体制とも衝突しますし、とくに中教審のいわゆる五段階賃金制や職階制案とも対立することになるでしょう。しかし、教員たちを無気力な教育機器に堕さしめないために、ここでも文部省の発想の転換が必要であります。近頃では文部省も、よい教師が育たないと嘆いているようですが、今のような待遇や統制をつづけながら、そんなことをかこつのは、自己矛盾もはなはだしいといわざるをえません。

右のコロラリーとして、教育改革の方向は、教育内容に対する行政権的統制を廃止していく側に向けられねばなりません。何を、いかに教えるかについては、教育を専門の職能としてこれに打ち込むスペシャリストたる教師に――彼らの非違や行き過ぎの匡正も、学者・教師を中心とする学術的組織に――、原則的に委ねられるべきでありましょう。国民の教育権から出発してこの原則を積極的に肯認した杉本判決の考え方は、そのままに教育改革の方針になるべきものだと私は考えます。

具体案として申しますと、まず教科書の国家的検定と採択上の統制をいっさいやめて、民主教育の出発点に立ちもどり、教科書は自由に発行し、自由に採択できるようにすることです。同時にまた、学習指導要領に法的拘束性を与えて強行してきた方式も、思い切って変えねばなりません。

〃そんなことをすれば、水準に達しない質の悪い教科書、あるいは政治的偏向のひどい教科書もチェックできなくなり、その弊害は耐えがたいものとなろう〃、という反論がすぐ出てくるでしょう。しかし、教科書を自由に発行し採択できる仕組みの下で、〃悪貨が良貨を駆逐する〃ようなことには、おそらくならないでしょうし、仮に部分的にそんな現象がでてきても、教育界の内部での自律的批判によって克服する方法で十分にやっていけると思います。

それでもどうしても心配だというならば、いわば自律方式を制度化し、教科書問題を検討し批判するための政治的に中立な非権力機関の設立などを考えてもよいでしょう。教科書の行政権的なコントロールの悪弊は、すでに諸方面から多くの批判が出されているので、あらためて数えあげることはしませんが、これにくらべると教科書の「自由化」は、多少の弊害を生ずるとしても、教育に及ぼす危険性はずっと少ないはずです。〃先進国家〃たる日本で、いまさらこんな提案を改革の一環としてあげねばならないのは、はなはだ情けないことです。

そこでさらに一歩を進めて、教課内容や教え方を含む教師の自由を——すでにそうした自由を有する大学教官のほかにも広く全教育者にまで——拡大していくことが、教育の活性化のために不可欠のものとして提案されます。これらはいずれも、特別にむずかしい手続や計画を要せず、やろうと思えば今すぐにも出来ることです。前に、大阪教組で、小学校社会科の「手引書」を出して話題になりましたが、教師たちによるそうした「自主編成」の試みは、教育を豊かにするための努力として高く評価されるべきでありましょう。このような方向での自律化の促進は、民主的な改革の第一着手として、ぜひ実行していただきたいものです。

教育の財政的配慮

教育条件の整備とそれを裏づける教育財政の拡大は、中教審も謳っているところで、それじたいには全面的に賛成します。しかし、同時にそれにもまして教育行財政の思い切った民主化、すなわち財政に関する各レベルの教育機関の自律性を高める方針が要望されます。国民の税金によって支払われる教育関係費は、その使途の管理を厳格におこなうべきことはいうまでもないけれども、それは通常の会計監査の枠を超えた学校行政の手段とされてはなりません。

この原則は、国公立の諸学校のみならず、私学についてもまったく同様に妥当します。私学が公教育において果たす役割は、基本的には国公立と変わらないし、したがってその活動に対する国家の財政的援助が大幅に拡大さるべきことは、いまさらいうまでもない当然の要請です。

しかしその反面で、こうした国のサポートが私立学校（大学のみならず各段階の諸学校）の経営・管理に対する行政的コントロールの口実とされるようでは、教育の自由や私学の存在理由である独自性を大きく損うことになります。私学の財政的援助は、国公立学校とのアンバランスを是正し、父母たちの過重な負担を軽減して、教育の機会均等にも資するためで、国として当然の責務に属しますから、かりそめにも特別な恩恵であるように考えてはならないことです。会計の公正を期する技術的な検査のほかに、教育の内容や方法などに関する余計な口出しをすることは、原則としてきびしく抑制し、むしろ積極的に完全な財政自治権を認める方向に向かうことが望まれます。

もちろん、学校設立の許可基準などをとってみても、文部省が教課などをも含む一定の必要条件を求める権限をもつ点で、さきにもふれたように、教育の内的事項と外的事項をキッパリと区別することができない、という困難があることは、私も十分に承知しています。それだけに、〃金は出しても口を出すな〃という要求が、現実にはなかなかそう理屈どおりにはいかないだろうと思います。しかし、教育自律の原則は、そういう事情があるかぎりいっそう強く、財政面について強調さるべきでありましょう。

高等教育のための工夫

大学改革の問題については、前論で「功を焦って拙速をとることなく、諸大学の自主的な計画を土台にして、じっくりと取りくんでほしい」という要望を出しておきました。大学の機構は、相当に複雑であり、しかも沿革的にさまざまな慣行や伝統が各大学ごとに積み重ねられており、その細部にわたる検討には、かなり専門的な知識と経験を要します。基本的な方向づけには、むろん国民的討議が必要でしょうが、改革の具体案の多くは大学人の自主的な創造にまつ以外にないと思われます。

現代の大学は、伝統的な〃象牙の塔〃に閉じこもるべきではなく、たしかに国民に向かって「開かれた」大学でなければなりませんが、この要求は大学自治の基本原則を歪めるようなものであってはならないでしょう。中教審はこの点で「大学の閉鎖性の排除」を強調し、大学の管理・運営について「学外の声」を取り入れたり、産業界や地域社会との「連携」が必要である旨を示唆しています。

これらの提言は、大学での「教育・研究活動が内部から衰退しないよう」にするための「制度上のくふう」として考えられているようですが、一歩誤ると、大学に不可欠な自治と研究・教育の自由を根底から揺るがす危険があります。いわゆる「開かれた大学」の試行として、すでに筑波新大学の構想が推進されていますが、私は、大学の独善や閉鎖性を打破するという――それじたいはむろん正当な――要求を旗印として、大学がその存立の原理である自治とひきかえに、権力や資本の側に向けて「開かれ」る結果の恐ろしさを、憂えないではいられません。大学改革が、かりそめにも〝旧来の大学自治はもう時代遅れだ〟といった俗論にひきずられて、研究・教育の本来の路線を歪める方向にそれないようにしたいものであります。

高等教育のうち、現行の大学院(中教審案でいう第四種機関たる「大学院」と第五種機関の「研究院」)の制度は、高度の学術の教育・研究の場として、全教育体系のなかでの位置づけから検討さるべき多くの問題を孕んでいます。大学との組みあわせでさまざまな改革案が考えられますので、中教審案をも含めて多様なモデルを出しあって、現行制度との比較のなかでそれぞれの得失を綿密に計量していく手続が望まれます。ただしそのさい、この最高段階の研究・教育機関の機能と目的に関する最小限の一致が必要であることと、「専門分野による差異」を無視して形式的な画一化を許らないこと(この点は中教審も「修業年限」について指摘しています)を前提とすべきでしょう。

大学との関係でいえば、私はこの大学院のコースは、最高度の学術研究を目ざす教育機関として、とくに厳しい競争原理を導入して然るべきだと考えています。先に私は、大学に至るまでは入試を撤廃して青少年にのびのびと身心を育成させるべきだといいましたが、最後の大学院は少数の知的エリートの特別な訓練場として、それに耐えうる資質——高度の知力・意志・体力——を要求するのが当然だと思うからです。大学入試撤廃論との関係で若干補足しますと、その前提として大学格差の是正が基本の条件となることは、詳論を要しません。少なくも今日のようなピラミッド型の格差構造を改めて、過渡的には平原型にもっていく。そして将来はどの大学の教官も学生も相互に交換や流動がかなり自由にできるところまで、全体として平準化したいものです。またその反面で大学院大学は比較的少数に限定し、教官も学生も専門の学術研究のための峻烈な相互錬磨をおこなっていく場として、それにふさわしい体制——研究設備をはじめ、学生の選考・資格認定制度、教官の人事方式やその流動化の考案など——を準備していくべきでありましょう。

教育における住民

まだ重要な問題はたくさん残っていますが、きりがありませんのでもう一つだけ、教育における住民自治に一言ふれておきます。——大学にかぎらずすべての教育機関は、つねに国民に向かって「開かれ」ていなければなりませんが、とくに初等・中等教育のレベルでは、地域社会の父母たちと密接な関係をもっています。教師たちはそこで、父母を通じて国民の教育要求に直接ふれ、また逆に子どもたちの教育を介して、現場の生な問題を父母たちと語りあうこともできるはずです。

もっとも現実には、ＰＴＡは、たんなる寄付団体にすぎなかったり、またともすれば教育ママと教師との間の進学相談に限られたＭＴＡになっていたり、時にはボスが支配するＢＴＡに堕したりして、本来の期待された役割を果たしていないと批判されています。それどころか、ＰＴＡ〝無用論〟や

〃排除論〃がひろまりつつある状態だともいわれています。そのうえ文部省がＰＴＡの幹部研修会などを企てることになると、官僚的な統制がそういう形でも入りこんできはしないかという心配もでてきます。

またしても原則論になって恐縮ですが、そういう現状であるだけに、ＰＴＡ本来の精神に立ち戻って、子どもたちみんなの幸せを開く教育を父母と教師が協働して支えていけるようにしたいものであります。それには父母と教師の双方から、生き生きとした民主的な話しあいの場を作る努力が必要ですし、他方で創意のある自主的なＰＴＡ活動を可能にする条件を整えることも、住民自治を通じて教育改革を進めていくために必要な配慮となりましょう。

もう一つ教育における住民自治という点で、制度上もっとも重要なポイントは、教育委員会制にあります。私はその活動や機能の実態にうといので、積極的な発言はここでは差し控えますが、一つだけ基本線としては、やはり教育委員の公選制の復活が必要ではないかと思います。教育の民主化といっても、国民の教育権といっても、教育委員が上から任命されているような状態では、何とも致し方ありません。教育委員会法の立法過程が示したように、それじたい政治的に対立した利害をはらんだこの問題が、とても簡単に改革できるとは思いません。今までせっかく公選制で立派にやってきた沖縄の実績さえも、本土復帰に際して無視され、妙な形で「本土並み」に変えられようとしているのをみても、この困難は想像に難くありません。そのうえ、教育委員の公選制が仮に復活したからといって、すぐに教育の民主化ができるという保証もないのです。

にもかかわらず、教育の改革が計られる以上、いつかは果たさければならぬ一つの階程がここにあることも確かです。教育における住民自治の着実な発展は、同時にまた、改革を実現していく大道でもあるからです。この点で、東京都中野区が、いわゆる教育委員の「準公選制」を成功させたのは、民主的な自治体の見事な成果の代表例といってよいでしょう。なお、この問題は、次に述べる改革の方法論と直結しますから、そこでもう少し具体的に考えてみることにします。

3　教育改革の方法論

重層的な国民の討議の活発化

前論（「公開状」）のなかで私は、「第三の教育改革」は国民の積極的な参加を必要としていると述べ、問題を国民的討議に付して徹底的に検討することを要請しました。教育改革は理念上、次代を担う国民のためのものであり、今日を担う国民によって実現さるべきことでありましょう。その具体案はすべて、教育に関心ある国民全体の討議や批判にさらされ、できるならばその大方の積極的なコンセンサスに基づいて練りあげられることが望まれます。

そこで、どうしたならば、明日の国家と国民の運命にもかかわる教育改革を成功的に実現できるか――その主体たるべき国民の一人として考えてみることにします。一般的原則と具体案を織りまぜていえば、次のような提案ができます。

第一に、国民的討議は、多重構造でおこなわれるべきことです。――文部省はすでに、中教審答申について国民の意見を聞くという目的で、「教育改革連絡協議会」を各地で開いていくことにしたと報道されています。新聞によればこの協議会には、各県教育委員会の関係者、校長会、PTAの代表者が加えられるといいます。こういう会を通じて国民の意見や批判を聞こうということは、それじたい決して悪いアイディアではないし、ある意味では当然のことといえましょう。しかしそれが、中教審のいうように「国民の支持」を得るための手続であり、むしろ上からの改革のキャンペインの意味をもつにとどまるとすれば、決して国民による改革の方法にはならないと思います。

国民の受動的な支持ではなくて、積極的な参加を求めるのには、もっと広汎かつ多層にわたって、自主的な話しあいの場を作ることが必要です。幼稚園から大学院に至るまで、教育に関係する人びとの属する大小さまざまな集団だけとっても、大変な数にのぼるはずですが、それよりもずっと広く労働界・産業界・専門家諸集団などの各レベルにわたって、教育問題を話しあう機会が欲しいものです。教育問題懇談会・連絡会、その他名前は何でもよいのですが、ゆるい枠の討議の場が多種多様に作られ、それぞれ関心ある範囲で問題や意見を出しあうことが望まれます。

もっとも、各種の職業集団のなかにそういうものを作るのはむずかしいでしょうから、前述したPTAなどを中心に、地域社会のなかの小グループの討論を拡げていくことが、さしあたりもっとも現実的なやり方になろうかと思います。そのさい、教育論議に政党・政派間の勢力争いをもちこまないためにも、また政治イデオロギーの対立によって、教育運動を台なしにしないためにも、討論会はつねに政党・政派的勢力から一定の距離をとっておこなわれるという配慮が必要でしょう。なおこれらと並行して、文部省と日教組という対立した考え方をもつ上部の組織間の対話などがおこなわれ、その情報が各種のグループの討論資料になるというのが、多重方式を実効化する方法になります。

国民的討議の方法

第二に、討議の情報は各層間で、相互にフィードバックされることが必要です。――上述の最後の点に関連しますが、大小さまざまなサークルや話しあいの場で討論された問題について、その主要な意見や内容を整理した情報が、できるだけ広く交換され、とくに異なったレベルでの討議を互いに深める、というようになることが望まれます。

情報の整理と流通・交換は、言うはやすくておこなうに難い面倒なことですが、うまくいけば非常に有効ですし、国民的論議を可能にする唯一の方法でもあります。その大量伝達の媒体となるのは、一つは組織力をもつ文部省や日教組・高教組などの公私の組織体であり、もう一つは新聞やテレビなどのマスメディアや綜合雑誌などの既存の情報産業ですが、これらの大量伝達者に国民の教育要求の現実態と理念態を明らかにしていく努力が期待されます。

「文部省と日教組」といえば、対立する基本姿勢やイデオロギーを反映して、ともすれば正確な「報道」よりは、互いに自己に有利な資料や情報を流すという「競争」を生ずるに違いありませんが、それはそれで結構だといえます。双方がフェアな国民の判断を求めて、異なった意見と資料を出しあうならば、国民はその双方を吟味する機会が得られるからです。ただ文部省が、国民の税金を用いて一方的な宣伝やキャンペインをおこなうのは、妥当でもないしフェアでもないので、公金はやはりそれにふさわしい公正な使い方をしてもらいたい、とだけ注文しておきます。

なお社会の隅々からの意見を集めるためには、若干の制度的工夫も必要になります。一つの案として、各地方議会および国会両院に、それを受ける窓口を設け、立法府の資料とするにとどめず、一定の期間ごとにそれらを整理・編集して、国民の手に入りやすい形で流布していく、ということも考えられます。それと競合して、各政党においても国民の教育要求をそれぞれの立場でまとめ、政党間の討論を通じてその深化を計る作業に加われるはずです。PTAや市民グループは、政党・政派の運動から独立して自律的な検討を進めるのがよいと思いますが、どの政党とも距離をとりながら、意見や情報の交換は積極的におこなうことが、討議を実質的にするのに役立つでしょう。

日常問題からの接近

教育討論は、各階層にとって身近な問題から接近するということが望まれます。——教育問題はきわめて高度に原理的であり、少し入ると人間存在そのものを問いかえさなければならないような、フィロソフィカルな問題をつねに包蔵しています。しかし、国民の大衆的な討議は、むしろ日常身辺の現実的な問題と関連させておこなうことが肝要です。こんなことを改めていうのも、PTAや市民運動のリーダーたちに向けて、分かりきった知恵をことごとしく述べようとするのではなく、もっと教育論のありようにふれる問題だからです。現代における教育問題を肌身で理解するためには、一つにはテスト地獄に悩まされている子どもたちの身になって考えることと、一つには公害や物価やベトナム戦争といった日常的な問題との関連を衝いていくことが必要です。

これらのどれをとっても、たとえば子どもたちの教科書でどう扱われているのか、という関心で教場にアプローチしてゆくことも出来ますし、それらの影響をさぐりながら、政府の教育政策のあり方と関わりを考えていくことも可能でしょう。何よりも、そうした問題をたぐって子どもたちの未来を考えていけば、狭い家族エゴイズムから出た教育要求が、もっと広くすべての子どもたちの幸福のために何が必要かというふうに、次元を高めた方向に引き上げられるに違いありません。子ども・青年の学習権という基礎観念も、過重なテストによる疎外を体感し、学びの喜びも意欲も与えられない現実からみるとき、はじめて生きた要求になるはずです。

とくに私たちをとりまく環境破壊の問題などは、教育と不可分の絶好の検討資料になります。偏見に基づく不当な差別の現象も、回避は許されない問題です。非行や暴力の問題、セックスの問題、汚染や騒音の問題、その他地域社会のさまざまな出来ごとなども、教育に深くつながっています。討議への乗せ方でいろいろとむずかしい点もあるでしょうが、教育とリンクして考える訓練は、きっと有効であります。

ともあれ、教育論は、抽象的で高邁な理念であるよりは、日常の生活にふれたのっぴきならない現実的な課題の一環として受けとめられなければならないと思います。地域でも、学校でも、家庭でも、身辺の日々の出来ごとをめぐって、どうしたら皆がよりよい生活を築いていけるかを、ともどもに考え語りあうことによって、ひいては教育を良くする運動につながっていくようになるでしょう。そういうふうに、文字どおり草の根から、教育と教育環境に対する自前の、しかも皆のホンネの意見がつみ重ねられるようになれば、教育改革の地平線は、国民の前に大きく拡がって現われてくるのではないでしょうか。

あとがき

七〇年代から悪化を続けてきた日本の教育は、近来ますます重い症状を呈している。このままでいくと日本はどうなるのか、という憂慮は、多くの国民に共通の思いであろう。序文や第1章でも書いたとおり、この教育荒廃の原因は多岐にわたり、複雑にからみ合っている。したがって、保守的な〝文教族〟議員たちが企ててきた「道徳」教育（およびその旧型〝聖典〟であった教育勅語）の復活とか、先頃Tヨット・スクールが典型例を示したような暴力的な〝しごき〟などによって、解決できる単純な問題ではない。国民総がかりで、社会の根底から、――おとなたちの生活の仕方や方針をも含めて――大きな改革をおこなわなければ、問題の根本的な解決は望みえないと思われる。病んでいるのは、教育だけではなく、国家＝社会そのものではないか。荒れた学校や非行の生徒たちに対する対症療法にとどまらず、社会全体にわたるもっと本格の体質改善が必要である。

右のような観点から、本書では、社会と国家の双面でもっとも核心的と思われる問題をとりあげて考察し、私なりの処方箋を書いてみた。私は、大学の一角で憲法学を講じている〝教師〟というだけで、教育学に関してはただの素人である。学校や家庭での教育問題について、専門的な立場から発言できる資格を持っているなどとは、むろん夢想もしていない。ただ私も、教育(法)に深い関心をもつ一人の憲法学者として、この一〇年余り折にふれて、教科書問題や教育制度等に関する論考を試みてきた。それらの中から、今日の日本の教育のあり方について、一般の人びとの参考になりそうなものを選んで編集したのが、本書である。

したがってこれは、上述したとおり、教育学者の専門的な研究書ではないし、また、学校や家庭の〝教育現場〟で、体験を通じて書かれた、生々しいルポルタージュでもない。それでも、憲法学者の立場から、人権としての教育＝学習権の問題を考え、また一社会科学者の眼で、日本の教育の現実を見てきた点で、本書もそれなりに存在意義をもちうるのではないかと思う。専門家の精密な分析や、現場からのヴィヴィッドな訴えの外に、現象から少し離れた地点からのこのようなマクロの考察も、教育の蘇生のために必要ではないだろうか。かなりのちゅうちょと面(おも)はゆさを抑えつけながら、拙い小著を世に送り出すゆえんである。

なお、私の当初の計画としては、教育法哲学に関する若干の論稿とあわせて、もう少し大きな、そしてもう少しアカデミックな本にまとめるつもりであった。そのプランがおこなわれたならば、かなり性格の違う著作になったかもしれない。その方針を変えて、ここに見られるような本にしたのは、一つには有斐閣の池氏らの助言にもよるが、上述したように、日本の教育の現実問題にとり組んできた、一憲法学者としての考え方や提言を示して、多少なりとも大方の参考に供したいと思ったからである。

本書に採り入れた拙稿の初出の掲載誌（本）は、次のとおりである（「　」内は原題を示す）。なお、第4章（および新たに書き加えた序）を別にして、各章の手直しや加筆はできるだけ抑え、とくに論争論説から成る第6章は最小限の訂正にとどめた。かなり以前のものもあるが、それでも大部分は、今日でもそのまま通用すると思われる。ただ、全体として書きおろしたものではないので、あちこちで重複する叙述が見られるが、その点は序文で述べたとおり、ライトモチーフの繰りかえしと考えて、読者の方がたが積極的に受けとめて下されば幸いである。

第1章　「教育と競争原理」、ジュリスト総合特集10『教育』有斐閣、一九七八年

第2章　「子どもの人権と現代環境」、ジュリスト総合特集16『日本の子ども』有斐閣、一九七九年

第3章Ⅰ　教育科学研究会編『教育』四一九号、国土社、一九八二年

Ⅱ　『教育評論』一九八一年三月号、日本教職員組合

第4章Ⅰ　「憲法と教育」、有倉遼吉先生還暦記念論文集『教育法学の課題』総合労働研究所、一九七四年

Ⅱ　「教育法の思想」、小林直樹・水本浩編『現代日本の法思想』有斐閣、一九七六年（これは、『思想』四四二号〔岩波書店、一九六一年〕に掲載の拙論「憲法と国民教育」をもとに、若干書き加えた。）

第5章Ⅰ　「教科書問題の本質を問う」、法学セミナー総合特集17『教科書と教育』日本評論

社、一九八一年
Ⅱ 「教科書問題の新展開」、『法学教室』三一号、有斐閣、一九八三年
第6章Ⅰ 『世界』一九七一年八月号、岩波書店
Ⅱ 同前、一九七一年一一月号
〔以上の諸論稿を本書に組み入れることを御了承をいただいた各社に、謝意を表する。ただし、引用註・補註は、とくに必要と思われるものを残して、大部分はとり除いた。〕

*

この小著の出版に際しては、とくに有斐閣の池　一氏には、計画の当初からいろいろとお世話になった。また、私が国際学会に出席するため、辛うじて初校を見終えたところで海外に出たあと、再校以後は森田明氏（お茶の水女子大学助教授）にお願いすることにした。ここに両氏にお礼を申しあげる。

一九八三年七月

小林　直樹

著者紹介

小林直樹（こばやし・なおき）

1921年　長野県に生まれる
1946年　東京大学法学部卒業
1980〜83年　教育法学会会長をつとめる
現　在　専修大学法学部教授
専　攻　憲法学・法哲学
著　書　『憲法の構成原理』
『日本における憲法動態の分析』
『日本国憲法の問題状況』
『現代基本権の展開』
『憲法第九条』ほか

現代教育の条件　<有斐閣選書>

昭和58年9月20日　初版第1刷印刷
昭和58年9月30日　初版第1刷発行

著者　小　林　直　樹
発行者　江　草　忠　敬
発行所　株式会社　有　斐　閣
東京都千代田区神田神保町2〜17
電話東京（264）1311（大代表）
郵便番号〔101〕振替口座東京6-370番
京都支店〔606〕左京区田中門前町44

印刷　図書印刷・製本　稲村製本

現代教育の条件（オンデマンド版）

2002年1月31日　発行

著　者　　小林　直樹
発行者　　江草　忠敬
発行所　　株式会社有斐閣
〒101-0051　東京都千代田区神田神保町2-17
TEL03(3264)1315（編集）　03(3265)6811（営業）
URL http://www.yuhikaku.co.jp/

印刷・製本　株式会社　デジタルパブリッシングサービス
〒162-0812　東京都新宿区西五軒町11-13
TEL03(5225)6061　FAX03(3266)9639

AA804

ISBN4-641-90215-1　Printed in Japan